国家出版基金项目
NATIONAL PUBLICATION FOUNDATION

《三联经典文库》

第二辑

2012 年国家出版基金项目

《三联经典文库》编辑委员会名单

三联经典文库

126

世界经济地理讲话

思慕 著

生活·讀書·新知 三联书店

图书在版编目(CIP)数据

世界经济地理讲话 / 思慕著. -- 北京 : 生活·读书·新知三联书店, 2014.1
（三联经典文库第二辑）
ISBN 978-7-108-04651-2

Ⅰ. ①世… Ⅱ. ①思… Ⅲ. ①经济地理－世界 Ⅳ. ①F119.9

中国版本图书馆CIP数据核字(2013)第246681号

126 世界经济地理讲话

责任编辑　卢　莹
封扉设计　蔡立国
责任印制　李思佳
出版发行　生活·讀書·新知 三联书店
（北京市东城区美术馆东街22号）
邮　　编　100010
经　　销　新华书店
印　　刷　北京市松源印刷有限公司
版　　次　2014年1月北京第1版　2014年1月北京第1次印刷
开　　本　787毫米×1092毫米 1/32　印张 6
字　　数　81千字
定　　价　22.00元

《三联经典文库》出版缘起

适逢生活·读书·新知三联书店八十华诞，为弘扬传统，接续文脉，回报读者，服务社会，我们决定策划出版《三联经典文库》。

1932 年 7 月，生活书店在上海创办，此后，读书出版社和新知书店相继成立。本文库第一辑、第二辑所选图书，来自于这三家出版单位及其分支机构，以及 1948 年生活·读书·新知三联书店成立后的出版物，始于 1932 年，截至 1951 年，两辑各一百种。此为第二辑，涉及政治、经济、社会、军事、思想文化诸领域，涵盖专著、文集、散文、小说、诗歌、传记、报道等体裁，既有直面现实、追求真理、讴歌真善美、抨击假恶丑的原创作品，又有引介世界各国先进文化、传播新知、开启民智的迻译之作，真实记录了那一代知识分子的思考与探索、理想与愿景和对中华民族文化传承与创新所做出的努力与贡献。

本文库所辑入各书，多为名家名作，在版本方面，以初版一印本或经著译编者审定、修订、增订过的版本为首选，因此本文库又具有较为珍贵的版本价值和收藏价值。

本文库还将编选续辑，使之成为恢弘文化工程。诚挚希望读者给予批评和指正，帮助我们完善编选工作，再现三联经典作品之风采。殊为遗憾的是，由于年代久远，一些原著译编者及其后人未能取得联系并奉付稿酬，诚盼版权所有者与我们联系。祈愿三联前辈所创造的精神财富能薪火相传，为中华文化的伟大复兴增光添彩。

《三联经典文库》编辑委员会

2013 年 8 月

凡　例

一、本文库为重排本，由繁体字竖排版改为简体字横排版。

一、以忠实于原作、整旧如旧为编辑原则，对当时使用的专有名词、外文译名，以及民国时期的语言和特色予以保留。

一、原书注释如旧，编者所出的注释，均以“编者注”标明，以示与原书注释的区别。

一、对原书残缺或字迹漫漶之处，以□示代。

一、对繁简文本转换时的“如右”、“见左”一类，对应改为“如上（前）”、“见下（后）”。

一、对原书中各种错讹脱衍之处，直接订正，不再以其他符号标示。

一、对数字、标点符号的用法，在不损害原文语义的情况下，做必要的规范。

一、本文库各书均前插原书书影、原书版权页和文库版“本书出版说明”。

一、本书出版说明的撰写，以客观中立为原则，扼要介绍本书的内容、版本流转、著译编者的情况。

本书出版说明

本书在当时具有经济地理学发凡的性质，根据当时中国读者的需求来研究世界经济地理各方面的问题。全书分上下两编，上编介绍经济地理学有关的基础知识，以及当时世界经济的特征、资源分布与国际间的竞争、国际贸易与资本输出、殖民地与殖民地的分割、交通的世界化与对交通网支配权的竞争；下编分别介绍美国、英国、日本、法国、德国和意大利、苏联的经济地理状况，包括它们在世界经济中的地位、经济特征、发展条件、工农业现状，以及其殖民地的发展状况。每章均附有习题，供读者复习和引起更进一步研究的兴趣。

本书作为“青年自学丛书”之一，由生活书店于1936年8月初版，11月再版，1937年5月第三版。本次出版即以第三版为底本。

刘思慕（1904－1985），原名燧元，笔名刘穆、刘君木等，广东新会（今江门市新会区）人。中国国际问题专家。曾留学德国、苏联、奥地利。1946 年加入中国民主同盟。历任香港《文汇报》总编辑、上海《新闻日报》总编辑、上海国际问题研究所副所长、北京国际关系研究所副所长、世界知识出版社社长、中国社会科学院世界历史研究所所长等职。1957 年加入中国共产党。曾当选为全国人大代表、全国政协委员。著有《世界政治地理》、《战后世界政治地理》和《战后日本问题》等。

生活 · 读书 · 新知三联书店

2013 年 8 月

生活书店 1937 年 5 月第三版书影

青年自學叢書

世界經濟地理講話

每冊實價肆角整
外埠酌加寄費

著者 思慕

發行者 生活書店
上海福州路第三八四號

印刷者 生活印刷所

中華民國二十五年八月初版
中華民國二十六年五月三版

原书版权页

目次

插图目次

编者的话

这本小册子是在短期内——而且大半在国外旅行中——写成的。它虽是已经站在新的观点上，根据现代中国读者的需要来研究世界经济地理各方面的问题；但以限于篇幅和交稿期限之故，编者颇憾未能加以较充分的发挥和更有系统的编制。且为力求内容的充实起见，文体也未免紧密一点。这是编者要先道歉的。幸而本书只是导论的性质，它的主要的目的只在给读者以一个较正确的观念，提示一个研究的方法。在这方面，这小册子也许可告无罪。且每章均附有习题，足供读者的复习和引起更进一步研究的兴趣。

这小册子既是发凡的性质，所以对于经济地理的研究方法，还有说几句话的必要。第一，经济地理学既是经济学中的一特殊部门，所以研究经济地理，就要同时对于一般的理论经济学，有正确明了的观点。例如关于资本主义发展的法则，帝国主义经济恐慌等理论，都是研究经济地理所不可少的基本知识。第二，这本小册子虽极力引参新的材料，不过国际形势瞬息万变，读者必须随时留心杂志、报章、年鉴、统计等所供给的经济地理材料，国际政治经济的知识，拿来跟经济地理的法则互相印证。第三，地图是研究经济不可缺的助手，本书插图不多，照编者所知，像金仲华先生编的《国际政治参考地图》，Rado A. 所编的《世界经济政治地图》（于志鹤译）都可供参考。

编　者

一九三六年六月廿五日

上　编

第一章　绪论

经济地理学的兴起

著者记得在中学念普通地理的时候，总感到地理一门功课的干燥无味，读者恐怕也有同感吧？眼前只有一串一串的山脉、河流、城市等等的固有名词——尤其是世界地理中的佶屈聱牙的地名，一堆内容贫乏而与实际生活无甚关系的记述，自然引不起人的兴趣。游记体裁的普通地理，虽借着兴趣的诉动，助读者的记忆，但到底还是一种记诵之学，不能说明甚么。经济地理学却不是这样。

随着资本主义的兴起，商业、殖民、国际贸易和交通的发达，可供市民阶级实用的商业地理，产业地理以至交通地理便盛行了。到了资本主义进于最高也就是最末的阶段的时候，资源和市场的独占，资本的输出，殖民地的加紧榨取和再分割，帝国主义内部的冲突之必需以战争解决——这一切一方面使人口资源以及全体国民以至世界与经济有关的地理的知识成为必要，他方面使一些学者须在地理方面寻求为帝国主义侵略辩护的口实，和给他戴上了伪科学的面具。前者产生了庸俗的经济地理，后者产生了德国的地理政治学（geopolitik）。

可是，在最近十数年间，大战的教训，俄国革命的前例，使劳动群众及被压迫的民族有了新的觉悟，对于世界经济的知识的需求也极为迫切，因而站在他们的立场，把自然资源，原料地，生产地，市场地，殖民地等的分配及其在现代的资本主义社会中的作用，加以具体地把握，供他们实际斗争之用的新经济地理学，便也乘时兴起了。同时，苏联努力作社会主义的建设，为实施计划经济，促进生产力的发展，加紧自然资源的开发，使产业作最合理的配备（这即是说使产业靠近原料产地，由原料加工，经过半制品阶段而达于完成，输于消费的地点，能以最低的劳动费出之），经济地理学便被课以特殊的任务，在苏联便有飞跃的发展。由是，这种科学虽只有短促的历史，在体系上已日趋于正确，在内容上已日渐丰富，在任务上更日益重要了。

甚么是经济地理学

从上头所讲的经济地理学的起源和发展，我们已可以窥见经济地理学的性质与内容了。较详细地来说，我们有三点须加注意：（一）经济地理学不是记述的科学，而是定立法则的科学；（二）经济地理不属于自然科学的地理学的范围，而宁是一种社会—经济的科学；（三）经济地理学不是立足于机械的地人相关论或地理的唯物史观之上，而是以辩证的地人相关论为基础。兹分别论之。

不是记述的科学

新经济地理学与物产地理，商业地理，及庸俗的经济地理不同的主要地方，在于它不是徒然罗列资源、物产、主要交通路线等等事实，也不是只把现代经济生活分配于地理的表面事象，加以所谓“客观”的记述。正如历史之根据史料那样，经济地理学也须以这种地志的资料为根据，但这种资料的本身决不是经济地理学。新兴的经济地理学者中也有人主张经济地理学只是一种个性记述的科学，同样是错误的，因为单纯地把土地、资源、物产、商品各种原素，列举出来，而不从它们的内在的关联上，与立在它们背后的人类社会关系上观察，纵是很客观的，也不能给我们以满意的说明。

经济地理学的任务，实在于把现代帝国主义阶段的、现实的、具体的世界的经济事象，从其地理上的编制，基于理论经济学的一般的抽象的法则，加以研究探求和定立在这方面的特殊的法则。更正确地说，“经济地理学的研究对象，就是关于生产力——当然要在其与生产关系的辩证法上的统一中把握它——的配备和总体的社会的生产的配备的诸法则性的研究和定立”。这一个简略而概括的定义，我们自须加以说明。所谓“生产力”包括劳动力（人口）、劳动手段（土地和动力资源）和劳动对象（动植物及矿物资源）；而社会的生产则指产业、贸易、交通等等。生产力的配备，反映着社会的社会一经济的构造，而同时为它所决定。所以资本主义国家的生产力的配备便与社会主义的国家不同。在前者的场合配备的过程是自然成长的，不均等的，生产配备上的不合理性以自然富源的恣意的采取为特征。地域分业带有畸形的性质，基于经济的及超经济的强制而成立的各地区的生产专门化，为追求高利润率的资本家的欲求所左右。举例来说，许多殖民地或半殖民地的国家为着支配着它们的国外资本家的利益，而从事单一的耕作（如蔗糖之于古巴，咖啡之于巴西，树胶之于马来半岛），以致它们的经济繁荣和衰落全视乎这种产业而定。又如印度在英国的统治之下，从前的稻田改植棉花，粮食由是不能自给。这种生产力的配备，地理上的分工的不合理的现象，都是资本主义社会在现代的阶段的特征。在苏联的情形却全然不同了。那儿的社会生产关系，在生产力的合理的配备上，在自然资源的充分而且全面的利用上，形成极适宜的条件，地域的分业虽从各地区的专门化上表现出来，但是，它是基于一切地区——特别是曾为殖民地和半殖民地的落后的地区——的经济的急剧发展，在计划制度之下施行的。这样说来，新的经济地理学就是基于一般的理论经济学的法则——关于现社会的社会—经济构造的法则，而把经济事象（生产力和社会生产的全体）在地理上的编制的法则加以说明和定立的科学。

不是属于地理学

经济地理学的成立，既与地理学的发展的历史有关，一般地理学者常把经济地理学隶属于人文地理学之下，似是而实非。从上面所述，我们已知道它与经济科学的密切关系，它之为特殊经济科学之一种，正如经济史那样，所异者，就是一为横断面的平面的考察，一为纵断面的立体的考察而已。定立一般法则性的理论经济学给予说明特殊法则性的经济地理学以方法，而由特殊科学的经济地理学定立的法则性，则为理论经济学所定立的法则性的特殊表现的形态，两者的关系是辩证的，若离开理论经济学而研究经济地理学，结果固流于皮相的观察，即把理论经济学与经济地理机械地对立起来，也是错误。

机械的地理决定论

还有一个方法论上的基本的问题，贯通经济地理学的全部，经济地理学者的观点正确与否，也就视乎他对于这问题的处理如何而定。这就是自然的地理条件对于人类社会的经济以至政治的生活有何影响的问题。诚然人类的经济生活是以地理因素为前提，人类本身就是一个自然物，人类劳动的场所由自然供给，劳动的手段对象，也总要靠地理的因素。人与自然（地球）实是一切富的源泉。但是，气候，地形，地理的位置，资源等自然的状态，是以经济（人类社会的生产力和生产关系）为媒介，才作用于人类的社会经济生活。若略去这个中间项（经济）而即谓人类的历史是直接为地理条件所决定，如一些庸俗的人文—经济地理学家（英国的 Buckle，Semple，德国的 Ritter Ratzel，Hettner 等），及近年德国的地理政治学家所主张者，结果每流于谬误，这种流弊，即新兴的经济地理学者亦不能免。例如哈拉宾（Horrabin，著有《世界经济地理概论》一书，中国有樊仲云的译本）谓中国的经济文化的停滞是由于它的僻远，殊不知中国在地理上孤立的位置一事，并不能说明中国为甚么不能自动地发展到工业资本主义去，而只能说明中国因为其他的理由而起的停滞，不早受外部的扰乱而已。更有一些学者基于这种谬误的见解，而得到替帝国主义辩护的结论，例如不从日本资本主义发展的阶段去说明日本对中国的侵略，而认为是由于日本的地理环境——岛国，煤铁缺乏，人口过剩等——使然；或谓满洲为朝鲜的地理上的延长，华北又为满洲的外延，以为日本并吞中国的辩护，更是不值一驳。

还有一层，地理因素，经由经济的因素对人类社会所发生的间接影响，随着这中间项的发展而也跟着不同。这就是说，人类社会由于以经济的行为适应自然一地理的环境，而同时扩充了它对自然的力，即它的自由。例如介居两洋之间的孤立的地理上的位置，在古代使美洲与旧大陆隔绝。然自从汽船发明以后，大洋不独可航行如内河，而且成为大陆的联络者。美国资本主义兴起以后，借着这种位置，海运四达，市场原料的夺取均属容易。又如在经济落后的帝俄时代，庞大的领土，复杂的气候和资源丰富的劳动力，无补于旧俄的资本主义的发展；然自从俄国革命以后，苏联生产关系生产方式一变，同是一样的地理条件便提供极有利的生产力发展的物质基础。新兴的经济地理学者不明白这一点，基于自然条件对于经济的直接制约性，而把它固定化；经济地区之说，把地面固定地分为工业地区、农业地区、原料生产区、原料制造区，单纯地因为自然条件之差异，而发生分业，彼此互相补充。这样说来，印度中国等殖民地半殖民的存在便是天经地义的了。不知道殖民地之成为母国的原料产地，是适应母国资本主义发展的需要，增高那里资本家的利润率而起，而不是出自天然的制约。印度在地理的环境上何尝不适宜纺织工业的发展，然而为了兰开夏（英国棉业中心）的利益之故，印度的纺织工业遂受种种的限制。反之，一向为帝俄的欧洲工业区的原料供给地（也就是殖民地）的西伯利亚，在最近却见工业的急剧的发展。这可见这种经济地区之说不能存在了。

特殊的实践的任务

从上所述，正确的世界经济地理知识的重要，已略可见。像其他一切社会科学那样，经济地理学是有它的实践的任务的，如果商业地理、产业地理、庸俗的经济地理，是企业家搜寻世界资源和市场的指针，那么新的经济地理学就提供我们以了解目前世界政治经济特征和趋势——如资源和市场的独占和争夺，资本的输出，殖民地的榨取、分割和再分割，帝国主义内部的冲突，殖民地的革命运动，资本主义世界与社会主义苏联的对立等——的一柄钥匙，善加利用，就是一件实际斗争的武器；同时还把现代的政治经济组织的不合理，经济发展的不均衡的实况暴露出来，征见有计划的新的经济组织之需要，和预先供给我们以这方面所需的初步的知识。

现在国际局面正当极严重的时期，而半壁苟安帝国主义急相煎逼的中国，又是这战机一触即发的国际诸关系中最危险的一环。中国问题固是世界政治的重要关键，而国际政局也与中国的安危息息相关。欲明了帝国主义者对中国的政策，它们彼此间的利害关系，我们就须借助于经济地理的知识。例如我们知道日本对中国侵略的顺利，一部分是与英国的纵容有关；欲知道英国为甚么要采取这种态度，我们至少也须明了英美两大资本主义集团在世界各方面利益的冲突，以及英帝国在远东的形势等经济地理的事实。又如日苏关系的时张时弛，对于日本侵略中国的步调也有极密切的影响。分析日苏在现阶段的关系，我们除了从日苏的基本的对立出发外，还要知道外蒙，内蒙，东部西伯利亚在日苏将来战争中有甚么作用。这样说来，世界经济地理在中国便有它的特殊的实践的任务，而为努力中国的生存与解放的大众所不能忽略的了。

习题

（1）为甚么经济地理学那样的晚出？它的发生的社会条件是甚么？

（2）经济地理学与经济学，经济史，及地理学的关系怎样？

（3）地理史观的谬误在甚么地方？与唯物史观有甚

么差别?

（4）一般历史家说大河流域为人类文化的摇篮，又有人说，水对于亚细亚社会有重要的意义，这种论断是否正确？应当怎样解释?

（5）世界划分为农业地带、工业地带和混合地带之说有甚么缺点?

（6）经济地理的重要性怎样?

第二章　现阶段世界经济的特征与经济地理

经济的依存与政治的分割

我们都知道，今日的世界早已由各地域的孤立经济进入所谓“世界经济”的阶段。各地域在经济上的密切地互相依存，是现阶段世界经济的最显而易见的外部的特征。一个英国工人的早餐，在丰裕的时候，便备有用美国来的小麦制成的面包和来自美国中央或西部的咸肉，丹麦制的牛油，印度或中国的茶。即在中国的穷乡僻壤间，洋油的应用，洋纱的穿着，使农人也成为美国的煤油大王或英国的亚细亚火油公司的主顾，与兰开夏（英国棉业中心）或大阪（日本棉业中心）的繁荣有关的一个——纵然极微——因素。同样满洲种植大豆的农人，其生活的好坏，视乎欧洲的制油工业的需求而定。上海闸北丝厂女工的就业或失业，甚至为美国女伶的衣袜的风尚所影响。这种经济上互相依存，国际分业的现象，诚然如哈拉宾所说，与（一）特殊的原料和土地的地理的位置及（二）近代海陆交通运输上的发达有关，但从深一层观察，这却是资本主义发展必然的结果。市场的不断的扩张为资本主义生产方法的存在的条件；生产费的极度减低，也就是利润率的极度增高，乃是资本家努力的所在。因此，资本主义便不能不超越国境，水银泻地无孔不入那样在世界各地为它的商品寻求市场，搜罗资源原料，和借着资本输出的方法来利用当地的廉价的劳动力和原料了。在这个资本主义的天罗地网之下，世界各地便发生了经济上分工合作互相倚赖的关系。到了资本主义达于独占阶段的时候，生产的社会化一世界化，更有巨大的进步。差不多全世界的原料源泉都汇合起来。生产的全部过程——从原料的获得到制成品的提供都是大规模地进行的。世界经济互相依存的关系，更见明显。

可是，不管世界各地在经济上是怎样的相互依赖，但世界的政治组织却不与之相应，政治的境界线把经济上互相依存的世界分割为许多互相轧轹对立的区域。第一次的世界大战不独没有把这种矛盾减少，而且加深了。例如多瑙河沿岸各地在经济上彼此关系本极密切，现在却分属捷克、奥、匈、南斯拉夫、罗马尼亚诸国，经济合作之议虽提倡已久而仍不能实现。至于鲁尔之煤，洛伦之铁，彼此如辅车之相依，又同落在莱茵河流域内，但却分隶于德法，更是最著的事实。这种地域上的错误，政治上的组织与经济上的事实的矛盾，实是资本主义自身的根本矛盾的反映。因为，资本主义的生产虽已日趋于社会化，而私人的占有依然存在。一国资本家为了排除别国资本家的竞争，或削弱其竞争力，独占国内的市场，和确保该国的殖民地或势力范围为投资、销售商品和供给原料之所，现代的国家组织和政治的分割实属必要。多瑙河流域的分立为许多国家，实是英法资本主义集团削弱其敌对者奥匈资本主义集团的手段。洛伦的改隶法国，是法国钢铁资本家奴属德国的计划中的一个重要步骤。所以，资本主义自身的根本矛盾——社会化的生产与私人占有——一日不解除，世界经济的相互

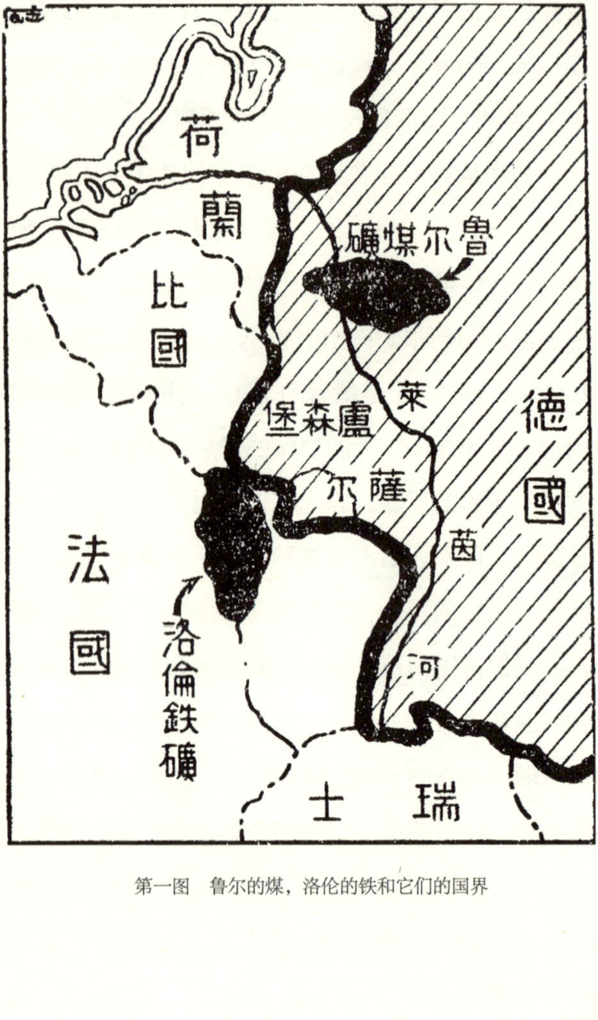

第一图　鲁尔的煤，洛伦的铁和它们的国界

依存与政治的分割的矛盾，便一日不能消灭。

帝国主义的五个特征

事实上，随着资本主义进于帝国主义的阶段，这种矛盾只一天比一天激化，我们只须把帝国主义的特征加以检讨，就可明白。帝国主义的第一个特征就是独占的资本主义，但是独占不独不能消灭竞争，而且独占组织相互间的竞争反益见尖锐。因为资源、原料市场等均受地理上的限制，所以为了保持和扩大独占的范围，原料和动力资源的独占和市场的争夺，就成为必要。独占的组织越发展，竞争的能力便越强。且独占的结合体，通常就是一国的全经济的及政治的生活的枢轴，资本主义的独占组织通过国家而发挥其竞争的能力，达其独占的目的，于是世界列强的对立便愈加利害了。还有一层，一国的产业中最加特尔化的通常是重工业，这种工业的独占组织极能左右一国的政治（例如炼钢公司 Conitédes Fonges 之于法国，鲁尔重工业集团之于德国），而又是特别侵略的，好战的。独占组织间的竞争，便常以殖民地的攘夺和战争的形态而实现，经济地理上的矛盾便由是愈益扩大。

帝国主义的第二个特征是金融资本的支配。金融资本与产业资本的结合，使独占的范围愈益扩张，控制一国的政治的能力愈益加强，因而独占组织对于世界政治经济的影响也越大了。

资本输出是帝国主义的第三个特征。因为少数国家的资本主义已过于成熟，可供资本作“有利的投资”的地盘已不够；而落后的国家，资本缺乏，土地价格不高，工资低廉，原料的供给便利而廉价，故能提供高率的利润。于是帝国主义国家中的过剩的资本便输到殖民地和半殖民地来，开发那儿的农业、矿山、森林，以造成高度的超利润，及原料和食粮的基础，敷设铁路及其他交通机关，以强化外国资本的经济和政治的支配。但是，这些被支配的落后国家的经济的发展，完全以输出资本的支配的国家的利益为前提，在殖民地和半殖民地内金属、机械制造、电气、化学等基本工业的发达，是帝国主义所不能容许的，少数的大帝国主义国家与殖民地间的强制的分业（所谓工业国与农业国，原料制造国与原料供给国的分业）由是发生。结果殖民地及半殖民地的生产力的发展受人为的阻碍，而那儿的新兴的资产阶级为求本国的资本主义的进一步的发展，民族运动便应运而生了。

帝国主义第四个特征是国际的独占结合体之形成。这些国际独占组织（如国际加特尔，国际托拉斯等）直接分割世界，把世界的市场、资源分配于他们的分子之间，在钢铁、有色金属、火柴、人造丝等产业都有这种国际独占的组织（在一九三〇年约有二百以上）。但是独占之由民族的规模进于国际的规模，仍不能解决资本主义内在的矛盾，而反使之加深。因为：（一）国际的独占仍只能垄断它所营的商品的生产与贩卖的一部分，与局外者仍不断竞争；（二）现时的国际独占组织，只及于生产及贩卖的若干条件（如生产分配额，价格，贩卖市场的分割等），而对于由世界市场之分割所引起的各独占者间的斗争，仍不能缓和；（三）现时的国际独占，经过莫大的困难而缔结协定，但很易因内部轧轹不和而复归瓦解。例如一九二六年成立的欧陆制钢加特尔，一方面还有美国、英国、波兰的竞争，他方面因为参加该加特尔的各会员国（特别是法德间）不均等的发展，发生内部的轧轹，而几陷于完全瓦解的状态。

世界领土——殖民地——的分割的净尽，为帝国主义的第五个特征。资本主义的活动与殖民地的榨取征服本有不可分离的联系。美洲金银产地的发现，土著人口的剿灭与奴隶化，东印度的征服与掠夺的开始，非洲的化为猎取黑人之场，本来就是昭示资本主义时代的曙光，资本主义国家为殖民地获取和扩大而起的斗争，随着资本主义的发展而展开了。到了十九世纪末期，资本主义已过渡到帝国主义的阶段，帝国主义国家间的攘夺殖民地斗争，极度激烈化，终局的世界分割便完成了。因为许多重要的矿物性及植物性的原料资源分布于殖民地和半殖民地间，那儿又可为过剩的商品和资本的尾闾，所以殖民地的领有可以完全保证一国的金融资本在资源、资本、商品市场的独占上，排除竞争者，而获得巨大的超额利润。殖民地对于母国既有那么重大的意义，为保持殖民地与母国的联络与交通，海陆空的交通地理之统制也就成为必要。分割的结果，全世界的大多数的土地人口都为少数的国家所支配。但是，这种分割，在某些帝国主义国家看来是“不公平的”，“自由”的土地既已不可得，随着帝国主义列强间的势力关系的变化，为维持所谓“经济的均衡”，世界的再分割便不可免，而第一次的再分割就取世界大战的形式而实现了。

战后的世界

第一次的帝国主义世界大战的结果，欧洲愈益巴尔干化（分裂之谓），世界的地图有许多处变色了，帝国主义国家的势力关系大大的变化了。但是从经济地理的观点看来，最可注意的有下列数事：

一、大战给予美国资本主义以急激膨胀的机会，战后世界经济的中心已由欧洲而移到美国。

二、英国相对的衰落，因而英美的对立激化。

三、因为美国之成为世界经济中心，和日本在大战期间乘隙伸张势力于中国，所以太平洋问题——也即是支配半殖民地的中国的问题——日形重要，形成了日美英三国在这方面尖锐的对立。

四、因为大战期中资本主义在印度、中国等殖民地半殖民地有显著的发展，帝国主义国家与殖民地的矛盾也尖锐化，而发生了殖民地的解放运动。

五、战后苏联的出现，使资本主义与社会主义的对立，成为将来最大的问题。

今日之世界经济恐慌

自从世界经济恐慌在一九二九年爆发以来，农业的恐慌弥漫于殖民地和半殖民地间，这些国家以农业生产之受强制的专门化之故，受祸最烈，生活程度愈益低下，因而世界市场愈益狭隘化。独占资本主义遂以关税壁垒的高筑，金本位的停止，贸易的管理，汇兑的管理等封锁的统制经济政策来保持国内市场的独占，和加强其在国外市场的竞争能力，同时加紧本国与其殖民地和附庸国家间的经济上的联结，于是世界经济便愈趋于所谓“布洛克”（Bloc）化。独占的倾向在经济恐慌中既更见发展，法西斯主义便是独占资本在经济恐慌时期的政治的表现。随着资本主义国家的法西斯化，帝国主义间的矛盾更达到了未曾有的尖锐，对外侵略的倾向愈益露骨，世界第三次分割的呼声高唱入云，日本和意大利已开其端，使帝国主义间的势力关系发生变化，第二次世界大战的危机便在目前了。

世界诸国的分类

现在世界上所谓“独立的”国家虽有七十余国，从经济地理的观点看来，它们可以分为四大部类。

第一部类为资本主义高度发展的国家——也就是金融独占资本支配着的国家，美、英、德、法、意、日、比等国属之。这些国家本国的领土和人口虽不足述，但在世界资本主义经济中握有领导权。例如美、英、德、法、意五国仅占世界面积的百分之八点三，世界人口百分之一六，但它们的生产额却占了世界总生产额的大部分，兹略举如下：

煤炭产额	79%	煤油产额	72%
水力利用	54%	完成电力	76%
铣铁产额	80%	汽车生产	95%
钢铁产额	83%	化学品生产	73%

铜产额 58%　　　　纺锤数　76%

机械制造　90%

第二部类为资本主义发展达到中位的水准的国家。这些国家有一个重要的特征，就是农业经济中半封建的关系仍然残存，波兰，西班牙，巴尔干诸国属之。

属于第三部类者为印度、荷属东印度、朝鲜、中国等殖民地和半殖民地，以及阿根廷、巴西、智利、墨西哥等附庸国家。在这些地域中，封建的关系仍然有很大的势力，重要的商业，银行，种植园，及交通等企业大半为外国资本所掌握，民族资本难以发展。广大的农民人口，一方面为旧封建势力所压迫，高利贷资本所剥削，同时又为帝国主义所宰割。

以上的三类国家都属于资本主义世界的范围以内。第四部类却是与资本世界立于对立地位的苏联。在那儿，社会主义建设的进展，计划经济的实施，生产力飞跃的进步，阶级的逐渐消除，农村与城市，工业与农业的矛盾逐渐的解消，都是铁般的事实。它的存在与发展对于世界政治经济的变动有着决定的影响。

结 论

根据上面，目前世界经济的特征及帝国主义的作用在经济地理上的反映，我们可得以下的结论，即是：各帝国主义国家为使本国的独占金融资本不断发展，不得不把（1）不可缺的大量的原料及动力资源；（2）供其所生产的商品和过剩的资本输出的市场；（3）确保这几项的独占成功的殖民地；以及（4）输送原料、制品、保持母国与殖民地的联络和供战时利用的海陆空的交通路，置于自己的直接或间接的管理之下。因此，这些问题便是在现阶段上世界经济地理的最基础和一般的问题。我们在后面，便将这些问题分别加以较详细的论述。

其次，现在世界各国，诚如上述，可以分为四大类；但是，因为资本主义独占的倾向日益强烈，布洛克化的趋势，日见明显，除了第三部类的殖民地与其母国自成一集团之外，半殖民地和第二部类的国家也差不多全在第一部类的国家内某一强国的领导和支配之下，分别构成大的经济集团。所以今日的世界可以分为以下的集团：（一）为美国集团；（二）为英国集团；（三）为日本所支配的东亚集团;（四）为法国集团;（五）为德—意集团;（六）为苏联。这几个集团的经济地理的分别论述，便成为本书后半部的任务。

习题

（1）国际分业与资本主义发展的法则有甚么关系?

（2）世界经济的依存与政治的分割这个矛盾怎样产生?

（3）独占资本主义怎样会使列强的对立尖锐化?

（4）资本输出的原因和结果怎样?

（5）为甚么国际的独占组织不能持久?

（6）资本主义不均等发展的法则与世界之再分割有何关系?

（7）战后的资本主义有甚么特征?

（8）现在世界诸国可以分为几大部类?

（9）最近的世界经济恐慌在经济地理上有甚么反映?

第三章　资源的分布与国际竞争

资源分布之地理的制限

最广义的资源包含土地、山林、水力、矿物、水产、农产以至人口；狭义的资源单指直接依存于自然的矿物、自然森林，及水力之潜在量。资源之受地理的限制是很明显的，因为各地层构造的不同，地层的变迁，气候及其他地理因素的互异，世界资源的分布在量上和质上的分布便极不平均（资源在质上的分布及可利用性甚关重要，例如以煤论，有些地方煤虽多而质劣，或埋藏地下太深不易采掘，或离海太远，不便运输，则它的利用性便很低。又如一国单是有煤无铁，或煤矿区与铁矿区相距太远，亦有碍于该国的经济发展）。下列一表，可以把各国重要资源分配不均的情形粗略地指出来。

第一表

国名	每一人口之储量（吨）		耕地		牧场草地每一人口（英亩）	森林等对全面积之百分率
	煤	铁矿	每一人口（英亩）	对全面积之百分率		
英	4,296	135	0.30	23.8	0.72	20.5
法	795	200	1.01	41.8	0.54	37.7
德	3,857	21	0.81	43.7	0.31	39.3
意	6	0.2	0.80	42.8	0.42	35.2
波兰	3,379	——	1.53	48.6		34.5
日本	126	1.4	0.49	15.5		84.5
中国	1,000	2.6	0.55	14.1		85.9
印度	235	10	1.16	46.0		54.0
澳洲	28,000	164	3.92	1.2		98.8
纽西兰	2,511	52	1.37	2.8	12.35	72.1
南非	7,464	405	1.41	3.5		96.5
北美	22,796	87	2.85	18.0		82.0
加拿大	71,050	458	6.1	2.4		97.0

本表据 Warren S. Thompson. *Danger Spots in World Population* 一九三〇年版，一一页；煤铁的数字与后述的略有出入。

诚然，资源对于人类的社会经济生活所起的作用，视乎人类社会的经济构造及生产力的发展程度而异。有丰富的石油资源的美洲，在开采石油的技术的经济的前提未存在时，这种资源也是等于没有。可是，在资本主义制度之下，为生产所必须的动力和原料的源泉是私有的，资源的不平均的分布，使各国的经济的发展愈不均衡。必要的原料的确保和原料产地的获得，是各国资本主义企业的不断的努力。资本主义愈发展，则资源愈感觉不足的。到了独占的金融资本时代，一个独占组织，如能一手掌握所有自己所需的资源，夺去竞争者的原料的基础，和准备本国的源泉涸竭时之用，它的独占便是最巩固的了。所以帝国主义诸国间获得资源的斗争日益激烈，夺取殖民地斗争的日益狂暴，成为战争的重要原因。这种竞争是与资本主义的体制相终始的。近年国际联盟和有些国家所提出的世界资源计划地分配的理论只是一种梦想，而反映出了一些资源不足的帝国主义国家（如意德）的需求。

动力资源

动力资源的利用，为资本主义发展的技术的经济基础。动力资源中尤以煤炭与煤油为最重要，它们是世界帝国主义互相争夺的主要对象。关于世界煤的储藏量，有种种不同的估计，据一九一三年第十二次国际地理学会的估计，各大陆的煤炭储藏量如下：

第二表　世界煤储藏量

（石炭褐炭合计，褐炭换算为石炭，深度迄二千公尺，单位：百万吨）

	美洲	亚洲	欧洲	海洋洲	非洲	全世界
可能的储藏量	3,433,969	678,330	651,566	148,335	57,209	4,969,409
其中确实储藏量	698,146	20,324	269,971	3,135	407	991,982
确实煤储藏量在世界中之百分比	70.4	2.0	27.2	0.3	0.1	100.0

由上表的数字，可见煤的储藏集中于美洲和欧洲，而美洲之煤又集中于美国，其所储藏占世界第一位；欧洲之煤则大半落在英德两国内。亚洲的煤储藏量，中国占去三分之二；苏联所有，次于中国。海洋洲的煤差不多全在澳洲，对于煤矿开采已日渐困难的母国英吉利，有不少的经济价值。近年苏联有新的地质调查，发现该国的煤储藏远比以前所估计者为大。大抵美国，苏联，中国，加拿大，德，英等国煤的储藏，在世界总额中占百分之九十左右。这种重要动力资源的分布既那样的不平均，感到缺乏的资本主义国家便起而争夺。萨尔的支配及鲁尔的一度占领，是法国夺回洛伦铁矿后的应有的步骤。波兰与捷克因争夺德国西里西亚煤田而起纠纷；欧洲列强为争夺苏联顿河流域的煤田而干涉苏联的革

命。中国的丰富的煤储，早已为列强所垂涎，尤其患煤荒的日本特别积极。汉冶萍煤铁的统制，抚顺煤矿以至东三省的夺取，华北的吞并，就是这种政策的表现。

煤油在工业技术上的效率较胜于煤，现在工厂、轮船、军舰多已改用煤油为燃料。飞机汽车更非煤油不可，且有许多化学的生产物也是由煤油加工，煤油之用为涂油者亦渐多。所以，煤油不特是平时产业发展最重要的杠杆之一，而且是战时的决定的要因。但是，世界煤油的分布比煤还更不平均。据美国地质学者斯特宾遮氏的估计，世界煤油储量有如下表：

第三表　煤油储量（单位：百万桶）

地域	储藏量	地域	储藏量
美国及阿拉斯加	7,000	罗马尼亚和加里西亚	1,135
加拿大	995	日本	1,235
墨西哥	4,525	中国	1,375
南美	9,280	印度	995
阿尔及利亚和埃及	925	东印度群岛	3,015
波斯和美索不达米亚	5,820	全世界	43,055
苏联	6,755		

这个表虽有不尽不实之处（例如苏联的煤油储藏

量，据该国自己的估计，实占世界第一位），但已可指出一个重要的事实，就是，帝国主义国家中，在本国有丰富的煤油富源者只有美国一国；世界大部分的煤油资源却落在殖民地和半殖民地的国家中，帝国主义者在煤油方面的战争的激烈性如何，就不言可喻了。

煤油的战争是两方面的：一方面为获得煤油资源的斗争，一方面为夺取煤油市场的斗争；而在前一方面又有两个战线，一为各独占煤油集团间的斗争，一为缺乏煤油的国家与拥有煤油的国家间的斗争。煤油工业的集中比任何工业为甚。现在世界煤油富源，差不多操在美国美孚公司和英国皇家壳牌公司两个独占组织的手中。由美国煤油大王洛克菲勒指导的美孚公司，不但是在本国统制着大部分的煤油工业，而且在墨西哥，哥伦比亚，秘鲁，玻里维亚，委内瑞拉，加拿大等重要产油国家握着采取额的大部分以至全部。它虽只占世界采取额的百分之二五，但却占世界蒸炼额的百分之五〇，输送额的百分之七〇。以德特凌（Detering）为领袖的壳牌公司，掌有荷属东印的煤油源泉，在委内瑞拉，墨西哥，罗马尼亚，加拿大，以至美国等地的油田也有相当的份儿。

大抵壳牌公司统制世界采取额的百分之一一至百分之一二，蒸炼额的百分之一五点五。除了壳牌公司外，英国还有掌握着波斯，美索不达米亚，阿根廷等地煤油事业的英波公司及缅甸煤油公司，势力亦不弱于美国集团。这两个集团获得煤油资源的斗争，直接表现于政治斗争的形式。有丰富的煤油资源的拉丁美洲各国的变乱，差不多都与英美煤油的争夺有关；屡次革命的墨西哥是最显著的例；即新近的巴拉圭与玻里维亚战争，也是因为它们背后的英美帝国主义者争大厦谷油田之故。他如波斯、美索不达米亚（摩索尔）的油田，同样是它们争夺的对象。俄国的高加索大煤油田，更是革命后该地被占领和数年内乱的原因。

世界的煤油田既为英美煤油集团所垄断，缺乏煤油的帝国主义国家自然感到可怕的威胁，而力求煤油的自给。战前德国在罗马尼亚和近东曾作此种企图；法国现在虽然业已染指于摩索尔、罗马尼亚和加里西亚的油田，但仍不能自给。日本帝国主义在国内虽有多少的油田，但仍须倚赖国外的输入，故一方面力谋从满洲的页岩提炼煤油，一方面租得苏联北库页岛的煤油开采权。意大利最缺乏煤油，故莫索里尼在意阿战争前便储备了大宗煤油和力图掌握摩索尔的油田的一部分。不过煤油制裁仍足为意大利的致命伤，它之不能实现，只反映出英美两煤油集团利益怎样的不一致罢了。

战后的煤油生产有飞跃的发展。美国虽仍为最大的煤油生产国，产量仍日见增加（一九三四年为一万万二千三百八十七万四千吨，计占世界产额百分之六〇）；但苏联（一九三四年产额为二千四百十五万吨）、委内瑞拉、罗马尼亚、伊兰（波斯）等地油产的扩充，更见急剧，世界生产遂见过剩，两大煤油独占组织的广泛的市场战愈见激烈了。苏联的廉价的国营煤油的活跃，又使国际市场添一有力的竞争者。一九二九年以来，世界煤油业者虽屡有限制生产之议，但以最大的生产国——美国——的不合作，终无效果。

重要金属资源

钢铁为机器制造的基础，生产工业最重要的部门，而又是军事工业的命脉，铁的资源在国际政治经济上的重要，自不待言。但是世界铁的储藏量，约有百分之八十以上集中于美国、苏联、巴西、纽芬兰、洛伦、英国、西班牙、瑞典等地。帝国主义国家中大半都感觉铁矿的不足，除从国外输入矿石以外，在国外的铁矿的统制实为这些国家的急务。洛伦铁矿的完全支配是法德两国斗争的主要对象。战后该地铁矿全归法国，法国遂一跃而成为世界第一位钢铁输出国，进一步而谋将洛伦铁矿与鲁尔煤矿结合起来。极其缺乏铁矿的日本是靠支配中国的铁矿（大冶和满洲铁矿）来作为补充。智利的铁矿现已落在美国资本家的手中，巴西的大铁矿也分归美法英三国资本所掌握了。

有色金属的分布比铁更不平均。这些金属与军需工业及电气、化学工业有密切的关系，故它们的争夺战日见剧烈。例如为电气工业的主要原料之铜，以美国为最大的出产地，次则为智利，比属刚果，南非，西班牙，日本，墨西哥，加拿大等地。美国供给全世界以四分之三的铜；智利，墨西哥，加拿大的铜矿均为美资所支配。新近生产大增的刚果和南非铜矿及西班牙铜矿，则由英国资本掌握。所以铜的斗争也像煤油那样，是英美两帝国主义间的斗争。由美国支配的国际铜产辛狄加，虽占有世界采取额的百分之九〇，但这辛狄加与局外者之间，以至它的内部的成员间仍继续互相斗争着。就供给制造子弹用的铅来说，美国资本拥有本国、墨西哥及加拿大一部分的铅矿，直接统制世界生产额的百分之四十。属于英国资本者为澳洲，印度，缅甸及非洲的铅矿。颇重要的西班牙铅矿则在法国资本势力之下，法国与德比意的采取额约占世界总额百分之一〇。但它们为主要的消费国，自己还需要倚赖外国的供给。现在世界的锌产（可作为药筴用），有一半产于比，波兰，德，法，英及荷兰诸国，但美国与其经济上的附庸加拿大的锌产在近年亦增至世界总额的百分之四〇。同时，波兰和德国的锌矿的采取，亦为美资所染指。战前锡的供给，约四分之三产于马来与荷属东印，系落在英国资本的掌中。战后玻里维亚的生产额渐形重要，一九二九年其所产占世界总额的百分之二五，归美国掌握。有色金属中最轻的铝，供汽车及飞机的发动机制造之用，故其重要性日益增加，生产日见急激的发展。美国和加拿大与德、法、英、瑞士、挪威等国差不多平分世界铝产。美国的托拉斯与欧洲诸国组成的加特尔竞作铝的资源夺取，英、德、意、法等国均努力发展其铝工业，使其航空原料不致有缺乏之虞。镍为合成钢的重要原料，它的世界生产额的百分之九〇为加拿大所占有，此外，澳洲也供给一小部分，它的生产均落在英美独占组织的手中。至于其他日形重要的稀金属如锰、铬、锑、钨、白金、水银等的分布也很不平均。例如钨与锑矿，集中于中国（产额占世界百分之五十至八十），因军需工业的需要激增，中国这种矿产便大为帝国主义者注目。至于为货币材料的黄金，有一半以上来自英领的南非联邦，三分之二来自英帝国。世界的银矿集中于美国和墨西哥，其产额占世界总额的三分之二，美资所统制者占一半以上。

其他重要资源

在轻工业方面，棉产地的争夺在国际政治中所起的作用，也差不多与煤铁的争夺一样的大。棉花供给的独立是帝国主义的行动纲领的基本部分之一。现在棉的基本产地为美国、印度和埃及。世界的棉花有一半以上产于美国；五分之一以至四分之一产于印度；百分之五至八产于埃及。美棉一半输出于国外，印度输出其产额三分之二以上，埃棉几全数输出。但是世界上适于棉花栽培的地方尚多，苏联近年极力发展其土其耳斯坦的棉花种植，世界大战后，中国和拉丁美洲在棉花的供给上亦渐形重要。世界最大的棉纺织业国家的英国在本国内既不能植棉，为减少对美棉的倚赖计，一面以印度农民的口腹为牺牲，把印度许多稻田改植棉花，他方面控制尼罗河的水源，以发展苏丹的棉植，继续埃及的支配，以扩充和垄断埃及的优良的棉花生产。英国与意大利在阿比西尼亚的对立主要地是因为尼罗河水源问题，也就是棉花问题。此外在其非洲属地的乌根达、却尼亚及南非等地，亦发展棉花的栽培。拉丁美洲适宜于植棉的国家中，除了巴西的棉花栽培在英资势力之下外，墨西哥、阿根廷、秘鲁与乌拉圭的棉田均大部分与美资有关。在世界棉市场上为英国劲敌的日本，不幸也缺乏棉的资源，除了发展朝鲜的棉花资源外，并插手于南美，以至暹罗，阿比西尼亚的棉田；扩充伪满的棉花栽培，和夺取中国的主要产棉区的华北，均为日本的棉花国策。意大利近年亦加入这种斗争，它曾在土耳其取得植棉的权利；阿比西尼亚之吞并，当有利于它的棉业的发展。法国近年在其非洲属地塞尼加尔、法属苏丹、阿尔及利亚及马达加斯加试作棉花的种植，以谋纺织原料的自给。

随着汽车运输的发展，及橡皮在其他方面的应用，橡皮问题成为最重要问题之一。世界的橡皮产额有十分之九以上来自英国的领土——马来半岛，婆罗洲，锡兰，及其所支配的荷属东印。世界最大的汽车制造国家，亦即橡皮消费最多的国家的美国（汽车生产占世界总额百分之八十，橡皮消费占百分之七十），在自己的领土内反缺乏橡皮的生产。美国的力求橡皮的自给，恰像英国之于棉花。英美间的“橡皮战争”，为英美对立的主要原因之一。近年因橡皮生产过剩，价格跌落，英国方面便有斯蒂芬生橡皮输出限制案；美国为报复计，除积极发展菲律宾的橡皮种植，在巴西和利比里亚国（非洲）有同样的经营之外，还侵入荷属东印，收买属于荷兰和比利时资本的树胶园，英方的限制方案终归失败。

蔗糖生产与供给的集中，已到可惊的程度，近年古巴爪哇和印度三地的蔗糖在生产上占世界总额的十分之六，在输出上且超过此数。美国除在其属地夏威夷和波多力哥有大量的蔗糖的生产外，更是古巴的蔗田和糖业的所有者，这种关系使古巴牢牢隶属于美帝国主义之下。爪哇及英荷在南洋的属地所产的蔗糖为伦敦市场所操纵，糖的市场竞争及因蔗糖生产过剩而起的生产限制，使英美的国交多一暗礁。近年日本在台湾的蔗糖经营发展颇速，在远东糖市场上更添了一个竞争的因素。

在化学原料的领域内，独占的程度亦颇高。智利的硝石的完全独占，因战后德法英美人造氮气工业的普及而打破；加里资源在战前为德国所独占，战后法国分得一部，现法德产额占世界总额的百分之九五，两国订立输出协定。美国和英国竭力搜寻加里盐属，现英国在巴力斯坦已有所获。此外意大利之于硫黄，日本之于樟脑，西班牙和意大利之于水银，智利之于碘，德国之于臭素，均维持独占的地位。缺乏这些化学原料的资本主义国家，便竭力在寻求综合方法来从事制造。

资源上的备战

从上头的概略的考察，我们已可以看见世界的重要资源分布的不均以及帝国主义间夺取资源斗争的激烈。现代的战争既是视乎全国的经济的总动员能力如何而定，故资源在战争上便有决定的作用，更不要说有好些资源是直接与军需工业有关的了。现在已临到第二次大战的前夜，帝国主义在资源上的备战，日益明显。为谋某些重要资源在战时的自给计，帝国主义者除在本国及其属地寻求和发展这些资源外，还施行统制，以谋消费的合理化，日本和伪满的煤油专卖，德法意对煤油的严格管理，便是这种政策的最显著的例子。寻求代用品，或以人工的产品（化学综合方法制成的）来代替自然的原料也是一些原料缺乏的帝国主义国家所努力的目的。例如用酒精木炭之代替煤油，已为意法等国所试行，人造橡皮，人造皮革均已有相当的成功。有些国家，更专设资源机关（如日本的有资源局），为备战的通盘的筹画，和统制资源的保存利用。这种种事实都可证明世界大战的危机已逼在眉睫了。

习题

（1）资源分布的不均与资本主义发展的不平衡有甚么关系？

（2）为甚么有“煤油帝国主义”一名词？

（3）英美的斗争与资源的独占，有甚么关系？

（4）中国有那些资源为帝国主义争夺的对象？

（5）日本的棉花自给政策怎样？

（6）从资源的分布看来，所谓封锁的自给自足经济“奥泰基”（Autarkie）的实现的可能性怎样？

第四章　国际贸易与资本输出

国际贸易分配的新形势

国外贸易的扩张本为资本主义生产方式在幼年时期的基础，可是，随着资本主义的发展，基于这种生产方式的内在的必然性，又有不断地扩张市场的需要。所以国外贸易的扩张遂成为它自身的结果。因为资本主义的生产方式是以获取利润为目的的大量的商品生产，所以商品贩卖市场的不断的向全世界扩张，是资本主义发展的必要的条件。而且在生产费较低廉技术较进步的资本主义国家所生产的商品，输到后进国中，可以较高的价格卖出，故商品的输出不只是榨取后进国，而且可以提高利润率。在他方面，随着商品生产的不断的扩张，所需要的原料在量上和种类上便日益增多，资本主义国家遂利用各地域间地理环境的相异，而从国外获得廉价而大量的原料，引起——甚至强制地造成——所谓农业国与工业国的分工，国外贸易便不得不具有更频繁和经常的性质，和扩充为世界的规模。到了帝国主义时代，各国经济发展的不均等性，各国的工业，农业与诸产业部门的发展的不均等性为之强化，因而在经济领域中，帝国主义诸国相互的联结，帝国主义诸国家与殖民地间的联结愈加密切，更多的国家要仰赖于国外贸易，更多的国民经济部门要为国外市场而活动，于是对于国外市场的倚赖加深，国际贸易更急剧的发展了。同时，独占的资本主义为了获得“超额利润”力谋独占贩卖市场和独占原料来源地，使市场的斗争愈趋于剧烈。

按诸事实，自十九世纪以来，欧洲市场即日益扩大和变化，欧洲以外各地的市场即日益发展。到了大战前的最后十数年，帝国主义诸国的贸易——特别是输出增加了两倍，而同时夺取贩卖市场的斗争也激烈化；在近东市场上则有英德的逐鹿；在地中海与非洲则有英法的斗争；在拉丁美洲则有美英德三国的互争雄长；而远东则成为英日美的争夺的舞台。同时，斗争也在欧洲——特别是欧洲东南——进行着。从大战终结到现在，因为大战的影响和新近的经济恐慌，世界市场便有剧烈的变革，兹分述如下：

（一）因为战时欧洲经济的破坏和战后欧洲的巴尔干化之故，世界贸易到了一九二五年才渐渐达到战前的水准。但是自一九二九年世界经济恐慌爆发以后世界贸易又有急骤的缩减：

第四表　世界四十八国之贸易（单位：百万马克）

	1928 年上半期	1931 年上半期	1932 年上半期	1932 对 1931 年之减退率	1932 对 1928 年之减退率
输入	64.1	41.6	27.5	33.9	42.9
输出	57.1	36.1	23.7	34.5	41.5
合计	121.2	77.8	51.2	34.2	42.2

（二）战后欧洲的经济既深烙上大战的印痕，各国又高筑起关税壁垒，而大战复给予美国产业以突飞的跃进，和远东与南美的工业化以绝好的机会，所以世界贸易便发生了“非欧洲化”的倾向，这即是说，欧洲以外的国家——主要地是殖民地和半殖民地的国家——的贸易关系比起欧洲来扩张得更快。

第五表　欧洲诸国与欧洲以外诸国在世界贸易上所占的百分比

	世界的输入		世界的输出		世界的贸易总额	
	1913 年	1929 年	1913 年	1929 年	1913 年	1929 年
欧洲	69.1	60.9	63.1	54.0	66.3	57.7
欧洲外	30.9	39.1	36.9	46.0	33.7	42.7

（三）英国在世界贸易上久握牛耳，但是到了战后，美国从一九二五年起便在世界输出上占第一位（一九三四年占世界百分之一一点〇），即其贸易总额在一九二九年亦曾一度超过英国。最近英国的输出贸易虽似转好，但在世界总输出上所占的份额，已由五分之一（战前）减至十分之一了，且仍屈居美国之次。日本的剧烈的竞争更使它不能不亟谋抵抗的手段。日本在战后的输出三倍于战前，最近以厉行通货膨胀及倾销政策之故，其在世界市场上尤见活跃。战后退居法国之后的德国，到一九二九年已恢复到第三位，在输出上有追及英国之势（一九三四年占世界之百分之八点六），但希特勒登台以后，又见缩减。

（四）战后各国的国外贸易的构成起了很大的变化。资本主义国家的输出愈显出工业化。工业制品的输出在英国占总输出额百分之八〇，在德国占百分之七五，在法国占百分之六〇，在美国已超过百分之五〇。同时这些国家在输入上则食粮和原料的份额日益增加，而工业制品则日益减少。即意大利、捷克、奥国、瑞典等后进国家亦已有这种倾向。输出的工业化和输入的非工业化的结果使世界市场的斗争更为激化。

（五）英美的市场斗争是以全世界为范围的，不独在战前为英国的"商业殖民地"的拉丁美洲，已转化为美国的"商业殖民地"，那儿的英货为美货所驱逐，而且美货在英国自治领（特别是加拿大和澳洲）和殖民地的侵入亦有相当成功。近年德国也逐渐恢复了它在世界市场上的竞争能力，日本的世界性的倾销更使它成为英国以至美国的可怕的敌人。特别是它的廉价的棉货在英美的属地中都占了优势。不过，现在，最激烈的斗争的场所还是远东，竞争者之数不绝增加（例如捷克，瑞典，意大利都加入这种斗争），但主要的竞争者还是英、美、日和德国。英国在这方面的输出之相对的锐减，是很明显的。英国的输出在印度虽仍保持第一位，但在中国和日本已失去其在战前的优势。美日在远东的贸易同有急剧的发展，日货的侵入印度和荷印，尤为惊人。“九·一八”以后，美国对中国的输出贸易取日本的地位而代之，日本却更独占伪满的贸易和以走私的方法与英美争华北的市场。海洋洲与非洲诸国在世界贸易上的作用本来比较微小，但近年这些地方的贸易额亦已逐渐增大。非洲市场向为英法的角逐之地，战后却加入新的竞争者——美、意、德和日本了。

（六）战前为世界工业品一大销场的俄国，自革命后，与资本主义的世界完全断绝市场关系者数年。自一九二〇年苏联开始与世界各国订立通商条约以来，随着国内政局的稳定和经济建设的发展，其经常的国际贸易关系虽然渐见恢复，但因苏联的贸易在严格的国家统制之下，量输出以为输入，故发展很缓。苏联国际贸易之未能恢复到战前的水平线，为欧洲贸易停滞的一个重要原因，也就是从前以俄国为贩卖市场的英法德等帝国主义者力谋推翻苏联的一个原因。不过，自五年计划施行以来，苏联经济建设突飞猛进，输出输入贸易均见进展，近年廉价的苏联货品在世界的活动，且引起“倾销”的中伤，欲将世界经济恐慌之罪，归于苏联，而为进攻的借口。

贸易统制与“布洛克”经济

战后的对外贸易诚然在一些地域是比战前发展了，但大体上说，世界市场还是日趋狭隘化。原因是多方面的：现在欧洲的国境线比战前增加了一万一千公里，这些新的国家为谋经济的独立，本国产业的保护，都高筑了关税的壁垒。交战诸国为图本国产业的回复，后进诸国（如日本、印度、加拿大、澳洲等）为保护战时新兴的工业，也都提高了关税。但市场的狭隘化主要地还是独占资本主义的必然的结果。因为独占资本主义最通用的竞夺市场方法之一，是物价的斗争——“屯并”（即倾销）。为谋“屯并”的实现，就须在国内市场能以独占价格出售。为维持国内市场的独占，便须有新的保护政策，除了设定高率关税和采用种种的关税政策（如差别关税，汇兑关税，倾销关税等）之外，代表独占资本主义的利益的国家还直接统制贸易，应用输入禁止或限制，输入配额制（Quota System）和求偿制（Barter

System）等办法。这种新的保护政策之应用，自世界经济恐慌以来，更见普遍。新近又因为所谓“汇兑倾销”而有通货管理和外国汇兑管理的制度。这样更使市场的狭隘化加甚。没有殖民地的帝国主义国家（如德国），便高唱自给自足的锁国经济（所谓 Autarkie），而事实上仍竭力作市场的竞争；有殖民地和附庸国的国家便与它的属地和附庸国结成更密切的经济关系，以关税同盟或其他形式（如英国之所谓帝国内的自由贸易），构成经济的“布洛克”。但是，“布洛克”内部的轧轹既不能免，一个布洛克与别个布洛克的斗争只有更比从前剧烈，市场的狭隘化只有日甚一日罢了！

资本输出

因为（一）生产机构有莫大的扩张力，而市场在相对上又只有狭隘的容量；（二）又因资本有机构成的增大，利润率有下降的倾向等资本主义的内在的原因，遂发生所谓资本过剩。同时，因后进和殖民地国家以资本短少，土地价廉，工资原料均贱之故，如以先进的资本主义生产方式施于这些国家，便可提供高率的利润。由是过剩的资本便向这些地方输出。而且随着资本的输出，帝国主义国家除得到高利润以外，而且还可借它来扩大贩卖市场，原料市场，支配资本输入国的交通、财政，以至化该国为殖民地或势力范围。

在战前输出资本的主要国家，为旧资本主义国家的英法德三国。英国的海外投资在二百亿美元左右；法国由百二十亿至百六十亿美元；德国约为九十亿。英国以其属地、美国和拉丁美洲为主要市场，法德的投资大部分在于欧洲；而俄国市场对法国资本尤有重要的意义。战后世界的资本输出则起了很大的变化。英国的海外投资有一部分流回本国；美国却成为主要的资本输出国。近年英国的投资总额（二百亿美元）虽尚超出美国（百五十亿美元）之上，但增加的速率却远在美国之下。吸收美国资本的主要国家为拉丁美洲诸国、加拿大和欧洲。美资在加拿大的地位已凌驾英国；在拉丁美洲（除阿根廷和巴西之外）亦到处驱逐英国的资本。

第六表　加拿大的外资额（单位：百万美元）

	1914 年	1919 年	1929 年	1931 年
美国	904	1,800	3,609	4,108
英国	2,712	2,607	2,128	2,205
其他	178	173	155	165
合计	3,794	4,580	5,892	6,478

第七表　拉丁美洲的英美资本（单位：百万镑）

	英国资本		美国资本	
	1913 年	1930 年	1913 年	1930 年
阿根廷	1,788	2,200	40	750
巴西	740	1,400	50	557
智利	306	331	15	700
古巴	233	206	220	1,066
墨西哥	795	937	800	1,400

英国资本为美资所逼，只有退回它的势力所能及的殖民地里头。在近年来这种倾向，尤为明显。在战前投资四百亿马克于国外的德国，在战后却变成帝国主义国家中最大的资本输入国。法国近年黄金的蓄积和工业化虽急速地增大，但在世界资本市场上没有大的作用，它的资本大半投在东欧中欧新兴的国家，带有政治外交的意味。战后的日本也跃为资本输出的国家，但它的投资

集中于远东方面（尤其是满洲）。在世界经济恐慌几年间，各资本输出国的海外投资均见退减了。

问题

（1）外国贸易对于资本主义的作用怎样?

（2）欧战后的贩卖市场有甚么变化?

（3）世界市场为甚么会狭隘化?

（4）新近的贸易战争有甚么特征?

（5）资本输出对于帝国主义国家的作用怎样?

（6）战后的资本输出的趋势怎样?

第五章　殖民地与殖民地的分割

殖民地的作用

由前面数章所述，我们关于殖民地对帝国主义的意义，已有一个大概的观念。详细言之，殖民地的主要作用有以下数点：

（一）为原料的源泉　因地理条件及社会条件的关系，帝国主义国家，有许多生产所必须的原料非本国所能生产或有利地生产，而须赖殖民地的供给；且随着经济发展不均等性的日甚，对于殖民地的原料与食粮的供给的依存更日益深刻。例如英国在一九一三年从它的领土的输入占全体入口的百分之二四点九，至一九三四年增至百分之三八点八。殖民地既为帝国主义国家的原料源泉，它的生产的性质自然视帝国主义的需要而定，例如英国为解脱对美国棉花的依赖，它的非洲领土乌根达，坦葛尼加等地也随苏丹之后成为棉花的产区；同样，菲律宾为适应美国的橡皮的需要也有了橡皮种植的发展。这种强制的原料生产——甚至单一生产，使殖民地的经济更不健全，农业恐慌一卷来，农民大众便陷于绝境。

（二）为贩卖市场　殖民地的领有，使帝国主义在那儿得有关税的优惠及其他经济指挥权，保证了获得独占的超额利润的可能性，故帝国主义国家的商品输出便以它的殖民地为尾闾。而且殖民地贸易的运输，大抵由本国商船队所独占经营，所以由海运所得的利益也很大。在经济恐慌，市场战日益利害的今日，殖民地既是所谓“保护”市场，它的贸易统制，意义更大。例如法国对其殖民地的输出在一九一三年只占它的输出总额的百分之一三，至一九三四年已增至百分之三〇点九。英国对其属地的输出，在一九二四年只占总输出额的百分之四一点七，到一九三四年已增至百分之四五点[1]。

[1] 原书此处缺漏。——编者注

（三）为投资市场　资本输出虽不限于本国的殖民地，但从这种经济的透入，吸收资本的国家便有被转化为资本输出国的半殖民地或势力范围的可能。而且殖民地领土，在帝国主义国家资本输出的比重上，亦随着投资市场斗争的激化而日见增大。例如英国在战前的海外投资总额三十七亿镑中有百分之四七落于它的帝国内；到了一九三〇年，对外投资总额约三十二亿镑中，就有百分之六二输往它的自治领和殖民地。

此外帝国主义者更可在它的殖民地内重课赋税和强制劳动，作超经济的榨取。在平时，殖民地可容纳帝国主义国家的“过剩人口”，例如澳洲加拿大之于英国。但是现在殖民地本身也形成了过剩的劳动人口，这一点的作用已不大。不过，官吏、商人、工业家、技师，仍以殖民地为极有利的活动场所（现住在殖民地的白人约有一百万人）。在战时，殖民地或为帝国主义者的防御和攻击的根据地（如新加坡之于英国），或供给它以兵士和前线的劳动者（例如在前次大战时，有几百万的印度人非洲黑人被投入战争中当炮灰），甚至替它筹战费，意义亦甚重大。现在的殖民地在形式上虽有自治领、直辖殖民地、保护国、委任统治地种种差别，但它们对于帝国主义的意义却大同小异。

世界的分割与再分割

世界的大规模的分割始自十九世纪末期，也就是在帝国主义形成的时候。不独差不多全非洲为欧洲的掠夺者所夺取，而且在远东近东以及别的地域都完成这种分割了。除了英法等旧殖民国之外，俄德美日都加入竞争。到了二十世纪初，世界的分割业已终了，再分割便成为不可免，在先是局部的战争（如南非战争，日俄战争，意土战争，巴尔干战争）和屡次的国际纷争（如三次摩洛哥事件），终于爆发为一九一四年——一九一八年的世界大战。在大战的前夜，英、俄、法、德、美、日六大帝国主义国家已占有全世界面积的百分之六〇点八，有全世界人口的百分之五八。下列两表更可做世界分割和殖民地分配不均等性的明了的指标：

第八表　帝国主义者的殖民地领有

（单位面积：百万平方公里；人口：百万人）

	殖民地				本国		合计	
	1876年		1914年		1914年		1914年	
	面积	人口	面积	人口	面积	人口	面积	人口
英国	22.5	251.9	33.5	393.5	0.3	46.8	33.8	440.0
俄国	17.0	15.9	17.4	33.2	5.4	136.2	22.8	169.4
法国	0.9	6.0	10.6	55.5	0.5	39.6	11.1	95.1
德国	—	—	2.9	12.3	0.5	64.9	3.4	77.2
美国	—	—	0.3	9.7	9.4	97.0	9.7	106.7
日本	—	—	0.3	19.2	0.4	53.0	0.7	72.7
六大强国合计	40.4	273.8	65.0	523.4	16.5	437.2	81.5	961.1
其他殖民地领有国（比利时，荷兰，意大利，葡萄牙等）							9.9	45.3
半殖民地国（中国，波斯，土耳其等）							14.5	361.1
其他诸国							28.0	289.2
全世界							133.9	1656.6

第九表　一九一三年殖民地与母国比较表

国名	在面积上与母国的比例	在人口上的比例
英国	102.7 ： 1	8.42 ： 1
比利时	80.1 ： 1	1.19 ： 1
荷兰	59.8 ： 1	6.13 ： 1

续表

葡萄牙	23.5 ：1	1.55 ：1
法国	19.7 ：1	1.15 ：1
意大利	5.7 ：1	0.05 ：1
德国	5.4 ：1	0.19 ：1
日本	0.8 ：1	0.36 ：1
美国	0.2 ：1	0.10 ：1

经过一场的大战，《凡尔赛和约》便实施了世界的第二次分割。所谓国联“委任统治地”制度的发明，也不能遮掩这种分赃的铁的事实。根据这个和约，除了德国在非洲和在太平洋的殖民地，要全部拿出来分配于英法日比诸国之外，土耳其的大部分也分配给战胜的英法两国作殖民地，英国“代管”了土耳其的美索不达米亚、外约但、巴力斯坦和塞普鲁士岛；法国“代管”了叙利亚。战后的美国虽没有占有领土，但在拉丁美洲诸国的政治的支配却日见扩张。可是因为大战时期有些殖民地和半殖民地经济的发展和帝国主义的欺骗政策的暴露，与夫俄国革命的影响，中国、印度、埃及、阿拉伯、波斯等殖民地和半殖民地在战后便一度发生民族独立运动的高潮。

世界第三次分割的展望

世界第二次分割的结果，只使殖民地领有的不均等性更加利害了。在战胜的国家中，英国最占上风；日本为美国所扼而不能畅所欲为（例如交还胶州湾）。殖民地小而又贫瘠的意大利，尤怏怏不得志。因为大战初起，意大利参战时，英法曾答应意国，如协约国胜利，便让意大利扩充其在非洲的殖民地，和给它以土耳其领土的安那多利亚的大部分。但基玛尔革命的成功，使意大利在土耳其方面不能偿其大欲。在非洲方面，英国虽把周巴兰（Jubaland）赠给意大利（一九二五年），在意阿战争的前夜，英法虽对意都稍有让步，但这些土地，都没有多大的价值。莫索里尼心目中的神圣罗马帝国，在殖民地方面至少也包括北非洲（特别是阿比西尼亚，突尼斯和唐吉尔），小亚细亚和阿拉伯。所以重新分割世界的要求，意大利唱得最响。可是不管别的帝国主义的反对，首先开刀实行割取的，还是日本。自从满洲事变以后，殖民地再分割的斗争日益白热化，日本在中国的成就给意大利以好榜样，而最近欧洲帝国主义间的加深的矛盾又给它以千载一时的机会，于是它把阿比西尼亚终于并入“神圣罗马帝国”的版图。随着希特勒的登台，德国的殖民地要求也明白地提出了，使这个斗争的舞台上更多一个角色。现在帝国主义者刀锋所向之处，为远东，近东和非洲等殖民地和半殖民地。中国瓜分之祸，尤在目前。名义上独立的半殖民地自然会全部或一部先化为完全的殖民地（如阿比西尼亚、埃及、利比里亚、中国的西藏、察绥、华北）。欧洲小国所拥有的大块殖民地，也成为强大的帝国主义国家的垂涎物。葡属中非洲的瓜分业已倡议多时，近有事实上沦为英国属地之势；葡萄牙在远东的殖民地（如澳门，帝汶岛）也有逼着出卖的传说。荷兰在远东的富饶的殖民地（特别是爪哇），虽事实上在英国的卵翼之下，也为日本所觊觎。就是强大的帝国主义者之间，亦谋互相吞并彼此所有的殖民地，美国之欲合并其毗连的英自治领加拿大；日本之欲夺取其爪牙所及的美国属地菲律宾夏威夷和南太平洋中的岛屿，并声言英国的老大的殖民地亦须让出。德国除了要恢复战前它的殖民地之外，还要与英国争取南非。现在莫索里尼以武力夺取殖民地的尝试，既随日本之后而得到成功，世界的第三次分割当更急转直下，而爆发为第二次世界大战。在意阿战争发生后，英前工党领袖蓝斯堡和自由党领袖劳合·乔治还主张以国联名义召集会议来讨论以和平方法重新分配殖民地问题，美国国务卿赫尔也主张开放世界贸易市场和原料，这纵不是欺骗，也是梦呓吧！

习题

（1）殖民地对于帝国主义的主要作用是甚么？

（2）帝国主义者常以人口过剩为夺取殖民地的借口，试加以检讨。

（3）第一次大战与殖民地的争夺有甚么关系？

（4）战后殖民地的领有有甚么变迁？

（5）为甚么说第三次分割就在目前？

（6）殖民地的重新和平分配有无可能？

第六章　交通的世界化与对于交通路支配的竞争

铁道与帝国主义间的竞争

交通技术的发展，给予资本主义的发展以有力的刺激，因为它促进了夺取殖民地的活动，变更了各国在世界经济政治上的地位，而植下一种国际经济互相依存的基础；可是，随着资本主义的进展，世界交通的扩拓，交通工具的改良愈成为必要，对于交通路的控制的斗争也愈加利害了。兹将这个事实分为陆海空三方面论述如下。

现代的陆上交通工具中汽车的应用虽已日广，但铁路仍占最主要的地位。铁路的敷设，使大宗货物的长距离的廉价运输成为可能，它不但是工业化的先决条件，并且还是资本主义破坏原始社会经济生活的有力武器。所以它对帝国主义的侵入落后国家，起了很大的作用。最近世界主要国家的铁道状况，有表如下：

第十表　主要各国的铁道

（据日本内阁统计局所编的昭和十年列国国势要览）

国别	长度（公里）	面积每百方公里之长度	人口每一万人之长度
美国	421,351	5.4	34.0
苏联	81,580	0.4	4.8
印度	69,138	1.5	2.0
加拿大	68,295	0.7	65.0
德国	53,931	12.4	8.2
澳洲	43,516	0.6	67.1
法国	42,058	7.6	10.1
英国	32,803	13.4	7.1
日本	30,421	5.8	3.4

战后的铁道状况有一个可注意的事实，就是落后国家的铁道，都有很大的进展。苏联为实现它的社会主义的建设和巩固国防计，也树立了伟大的铁道计划。他如南非联邦，加拿大，阿根廷，比属刚果在战后的铁道建筑，均有很大的进步。

资本主义如能在落后的国家内握有铁道建筑权，不特可以垄断该国的原料和市场，且因重要运输工具的掌握及由铁道建筑所引起的政治权利（如铁道沿线驻兵权），进一步还可以占领该国及其邻近区域，夷为领土。故落后国家的铁路建筑权的争夺，实为帝国主义历史中一个重要的事实。世界大战前夕德国的三B铁道计划，及与之对抗的英国三C铁道计划，俄国的二P铁道计划，是我们周知的例。三B铁道的积极竞争，且为欧战爆发的一个重要因素。现在三B计划中的小亚细亚铁道分握在英法帝国主义者的手中，三C计划中的非洲部分已大半完成。第二个显明的例子，就是十九世纪末年列强对中国铁道权利的争夺，日俄美在东三省的争逐，尤为利害。自满洲事变以后，日本为了对苏联作战和使日“满”的经济联结更加密切起见，极力发展满洲的铁道网。年来粤汉铁路靠英国庚款的续筑，和向由英国投资的沪杭甬铁道的完成，粤汉与广九铁路接轨的酝酿，法国对同蒲铁道的投资，德国对玉萍铁道的投资，以及日本积极地策画包宁，顺济，沧石等铁道的敷设，一切事实，证明铁道的争夺战又再演于中国了。又如阿比西尼亚的唯一铁道（自京城阿狄斯阿贝巴至法属吉布的）握于法国之手，意大利曾有从该国西北建筑一铁路联贯其属地索谋利兰和伊里特里亚以对抗法国的企图，没有成功；现在它占领了阿国，当然可以为所欲为了。

世界海运现状

自汽船发明以后，占地面十分之七的大洋成为人类互相交通的重要手段，海运且远比陆运为廉。现在世界贸易的五分之四是由海上载运的。德国对外贸易的三分之二，美国对外贸易的百分之九〇，日本和英国对外贸易的百分之一〇〇是海上贸易。而且海上交通是联络母国与殖民地的工具。海运霸权的掌握，在市场战上也易操胜算。

现在海上航路交通最繁的仍为大西洋及地中海航线。但是随着远东的经济政治地位的进展，太平洋航路也日形重要。至于船舶的数量，在战后颇有增加（一九一四年世界汽船的总吨数为45，403，877吨，一九三二年增到68，368，141吨），而摩托船和巨型邮船的增加，更为战后海运的特色。但在经济恐慌期间，有很大部分的商船闲着。英国自十八世纪以来便握着海运的霸权。在战后虽仍占第一位，但它在世界总吨数上的比重已由百分之四十减至百分之三二；美国跃居第二位，两者合起来便占世界船舶的过半。日本由第四位而进为第三位，仅及英国五分之一；再次则为挪威与德国，法国由第三位降至第六位，意大利的商船在近年亦有发展。兹将最近的主要海运国的船舶保有量表列如下：

第十一表　主要海运国汽船吨数（根据同上表）

	只数	吨数
英国	9,280	20,607,468
美国	3,218	12,381,919
日本	1,472	4,014,935
挪威	1,904	3,980,101
德国	2,032	3,680,353
法国	1,459	3,259,594
意大利	1,031	2,875,183
荷兰	1,407	2,612,377
瑞典	1,309	1,597,314
希腊	550	1,507,260

海上航业的竞争也不减于市场的竞争。大西洋航路的主要竞争者为英美两国，法德亦加入战场。近年太平洋的航业战尤见激烈，新兴的日本商船积极夺取英美法荷的地盘，即意大利亦渐发展它们的远东航线。

海上交通的统制

海洋的国际化，和平时各国的可以自由在海洋上航行，虽为国际公法所承认；但为商业、政治及准备战争起见，海上交通的统制有莫大的重要。欲谋海上交通的支配，首先要有良好的出海口。战前的俄国和新兴的捷克即在这一方面吃亏很大，前者因拼命求不冻的海港，后者只得在《凡尔赛和约》上订明有借用别国海港之权。意大利为取得亚得里亚海的霸权，在战后从奥大利割取了特里斯脱港，并强占了阜姆，使南斯拉夫无出海的良港，因而两国国交曾大大地恶化。除了出海口的统制之外，航路要冲，海途中的煤站，舰队根据地的掌握，也为拥有殖民地的大帝国的要件。英国的殖民地既遍于所谓“七海”，离母国极远，欲求帝国的完整，更须要保障帝国各地的海上交通的安全。英国近代对于海外的侵略的方向，主要地是以这一点为目标的。只须翻开世界地图，我们便可看见从大西洋以至纽西兰，处处都不断地有英国的海上根据地和中间站。不过最近英国海上交通的安全已现出一点破绽，这一层容后再为说明。美国的殖民地也与它本部美国相隔很远，容易为其敌人所遮断。所以新近美国亦锐意经营，谋太平洋的制霸。但有日本和英国在，美国要实现它的美梦，仍不能不取决于帝国主义的战争。

世界大运河的开凿，使海上交通得一捷径。运河的支配，在平时可以促进一国的商业运输；在战时则与军事行动的迟速有关，为胜败的一个枢纽。现在世界的两大运河分归英美两大帝国主义所掌握。英国为保障苏彝士运河，便不肯放松它的两岸陆地——埃及、巴力斯坦、外约但等地——的统制。美国为夺取巴拿马运河建筑权，而化巴拿马一地为它的保护国；又为了防止别国在尼加拉瓜建筑第二条运河，所以它极力干涉尼加拉瓜的政治，使它同样沦为美国的附庸。近年远东风云日急，英国的新加坡大海军港快将告成，日本为避免经由新加坡的航路和获得南太平洋与印度洋间的捷径起见，谋在暹罗南部的克拉地峡开一运河，这事如果成功，在未来的太平洋战争中，自给日本的舰队以很大的方便，所以英国拼命反对。

航空的发展与竞争

空间的交通，在欧战之后有飞跃的进步。因为飞机是最敏捷的交通工具，一到战时复可用于军事的目的，故各国积极争谋航空的发展。由一九一九年至一九三三年，世界定期航空路的长度数已由三千二百哩增至二十万哩，飞行哩数由一百万哩增至一万万哩。至于各主要国家的民用航空近况，有如下表：

第十二表　主要各国的航空（根据同前表）

国别	飞行机数	飞行场数	国别	飞行机数	飞行场数
美国	9,284	2,071	加拿大	345	77
法国	1,654	102	澳洲	209	——
德国	1,072	231	比国	173	22
英国	1,055	397	日本	152	18
意大利	393	65			

现在航空的争霸战主要地是进行于英美德法四国之间。这些国家的商业航空公司，都由政府加以极严重的统制，予以津贴。美国泛美航空公司的营业跨三十三国，航空路的全长达三万二千哩；法国航空公司的航空路达二万二千八百哩；英国帝国航空公司的航空路有二

万五千哩，德国的汉萨公司也有一万八千哩。不特是欧美的重要城市已多有定期的空间联络，就是殖民地与母国间的空间交通的开拓，也已跟海上航路安全的保障同等重要，在殖民地和半殖民地国家的航空事业的统制和竞争，也跟前三四十年在铁道方面的竞争一样了。一九三四年，英国开辟了澳洲——印度——英国——南非的空中直通联络航路，今年三月又借着香港——庇能的定期航线的设置，而企图将这个帝国航空网伸张到中国（上海）来。美国的太平洋航空网新近已扩展到菲律宾，并想进一步与中国的中美合办的航空线联络。法国与其非洲属地马德加斯加等地和亚洲的安南也有定期的空间交通；由西贡延长至上海一线也已经试办过。德国的欧亚联络航空的企图虽未能实现，但已握着中国一部分的航空利权；其到南美的定期航空路的开设也早已实现了。日本除在满洲新设有颇完密的航空网外，还企图开拓由日本福冈经台北而至暹罗京城一线。他如意大利与其东非殖民地间，比利时与其西非殖民地间，荷兰与荷属东印度间都有定期的航空路了。这样一来，航空网已包罗了全世界；谁能在航空上制霸，谁就在将临的战争中胜人一筹，航空支配的竞争只有日益激烈吧！

习题

（1）帝国主义者交通侵略的政策怎样？

（2）海上交通的统制对于帝国主义的意义怎样？

（3）巴拿马运河开辟对于美国及世界有甚么影响？克拉运河的开辟如实现，对于太平洋的形势又有甚么影响？

（4）为甚么帝国主义各国竞作航空的发展？

（5）帝国主义者在中国的航空争霸战的近况怎样？

下　编

第七章　美国集团

美国在世界经济中的位置

美利坚合众国经济发展的水准不独高出其他资本主义国家之上，而且在资本主义的世界上占着领导的地位。在许多主要的工业部门、农业、交通，及资本输出上，美国都甲于他国。以工业论，世界煤产额的百分之四五，铣铁、钢和铜产额的一半，煤油产额的三分之二，均属于美国。以农业论，它占世界供给棉花总额的大半，小麦的百分之一七，烟草的百分之三八，弹性橡皮的百分之七五。它的铁路占世界全长的三分之一，国富达三千亿，等于全世界国富的百分之四〇。全世界的黄金有一半以上为它的银行所保有，在资本输出上它也占第一位。

发展的条件

美国在独立的时候，领土不过新英伦十三州，人口不过五百万。随着资本主义的发展，它的领土日见扩充，人口（主要地是移入的）日见急剧的进展。到了十九世纪末年，美国资本主义便以飞跃的速率进于帝国主义的阶段；在大战以后，更一跃而雄视全世界。美国迅速这样的发展，的确是与它的地理条件有关系的。不要说别的，丰饶而繁异的天产便给它以良好的工业的原料基础。它的铁矿占世界总埋藏量的百分之一九，煤占一半左右，煤油占百分之一二，其他的有用金属也有很丰富的埋藏。世界的水力有百分之一一集中于美国。而且煤矿和铁矿，质既优良，埋藏颇富，且又彼此接近，更饶有经济上的意义。因为地形气候上的繁异性，美国拥有适宜于种棉、种麦、畜牧的广大区域和森林区。美国所需要的重要工业原料，差不多可以完全自给。但是假使单有这种优越的地理条件，而社会的条件仍属不利，也是徒然。恰巧美国有两个社会史的条件，使美国能够充分地利用这些地理上的优点。这就是（一）封建制度在美国的不存在和（二）自由而低廉的土地的存在。前者使美国的资本主义得以无束缚地发展，后者使美国的农业大规模经营成为可能。这样一来，劳动者容易取得土地，转化为农民；加以工资的水准较高，逼使资本家多采用节省人工和加强劳动榨取程度的机械，而农工业遂急速地机械化。这几点我们是特别要加以注意的。

工业特征

美国的国民经济今已显然以工业为基础。人口的四分之三集中于都市，工业制品的价额几四倍于农产品，在对外贸易上也显出同样的趋势。

美国既有那样丰富的动力资源，动力工业自然极其发展，生产自然极其机械化。美国机械动力的生产约五倍于英国或德国。近年水力利用的发展使电气化更凌驾于别国之上。煤油的采掘虽占着世界的首席，美国重工业的发达是不言可喻的。冶金工业及金属制造工业的中心地本为东北地方滨临大西洋和大湖诸地。现在却因这地带劳动力昂贵且有坚强的组织力的缘故，而宁愿舍去铁与煤结合的利益，渐向别州（例如阿拉马州）迁移。机械工业在美国的发展虽为时较晚，但现在它的生产额已占世界总额的百分之五七，比德国的产额还多四倍。这一部门的制造业荟萃于密士失必河流域和大湖一带，汽车和农业机械的生产（特别是在输出上）最占重要。以汽车论，生产数和国内所有数等于世界各国所有者六倍有奇（全世界三千万辆汽车中有二千六百万辆为美国所有）。电气工业的总生产在世界中也占首位，且世界的电气工业也有一大部分归美统制。纺织工业中最重要者为棉织工业，在棉花消费量上，美国甲于全世界，纺锤之数却次于英国（二千万锭），且所产棉货几全以国内为销场。棉织工业为迁近棉花产区和低廉的劳动力和电力起见，已逐渐由东北向南部诸州移动。他如制肉制面等粮食工业亦极发达，在价值上且为一切工业部门之冠。化学和交通工业亦占极高比例。

美国的工业生产极为集中，一九二五年，每年生产额百万美元以上的工场只占全国工场数的百分之五点六，而所雇用的工人竟等于全国工人数的百分之五七，生产额占全工业生产额的百分之六八。独占资本主义在美国也特别强大，如钢铁、铜业、煤油、汽车、化学、制肉、铁道等都集中于几个托拉斯之手。银行资本与产业资本结合成为独占的金融统治合。摩根和洛克菲勒二系在美国经济上尤握有独占的支配权，它们不独支配金融、各种的产业和美国的政治，而且其支配权是世界的。

农业特征

美国的农业有一个基本的特征，就是它的资本主义化：经营的规模为大农场制，主要借雇用劳动的使用而为市场生产（生产物的百分之八〇出售于市场）。因为耕地面积之广和劳动者的工资的高昂，机器化电气化的进程颇速，由一九一九至一九二九年，耕种机数目由八万增至百万具。耕种打禾复合机（Combine）和运货汽车的采用也渐有同样的普遍。不过，随着机械的使用和大经营生产的集中，使中小经营渐渐没落，并造成一般农民的贫穷化，和购买力的激减，且使许多农民沦为佃农（现占全农民人口百分之四十）。

美国农业地域的专门化是很明显的：南部十三州为

棉花和烟草的产区，中部为谷物的产区，和肉类生产的中心地，太平洋沿岸则以果园为专业。农产品的重要者首推棉花，大部分须以国外为市场。玉蜀黍的产额占世界第一，小麦产额仅次于苏联，但在输出上逊于加拿大和阿根廷。猪牛的畜养均见发达。丰富的森林则因采伐过多而将有缺乏之虞。

美国经济的危机

如上所述，我们已看见美国资本的发展在规模上在速率上都比任何国为大，但是，也像别的资本主义国家那样，这个“金元王国”近年的发展已不是向上，而是每况愈下的趋于没落了。第一，在大战以后，全工业的生产增加的速率已比战前低了许多，煤炭和纤维工业特别不振；即新兴的工业（如汽车，化学等工业）的生产亦见激落；好些工场的设备闲置不用。第二，美国的工资虽似比别国为高，但是除了占全部工人十分之一的高级熟练劳工之外，其他劳动者所得的只是最低生活费以下的工资。生产极力合理化的结果，使生产加多而劳动者数绝对减少（从一九一九至一九二八年，工业生产，增加了百分之二五，而劳动者反减少了百分之一二），失业人数遂见急剧增加。第三，一九二九年开始的经济恐慌把美国的工业、商业、交通、信用体系和农业的全部门都卷入于漩涡之中，工业各部门的生产差不多都减少了三分之一以上；农业恐慌尤为深刻。滞货山积，价格激落；失业人数增至千万以上。罗斯福独裁的经济复兴政策的实施，也不能使美国的景气有多少好转。

商品输出

美国的国内市场的容量虽比别的资本主义国家为大，但近年来其国内购买力的激减和生产的过剩，逼使美国不得不积极扩充国外贩卖市场的斗争，故美国现在已成为世界第一个输出国（一九三四年占世界总输出额的百分之一一）。在输出品的性质上亦见大变化：工业制品在总输出额上的百分率在一九〇一年为百分之三〇，至一九二八年便增至百分之六〇。煤油、机器、棉花为输出大宗。欧洲虽仍保持美货的最大主顾的地位，但加拿大、拉丁美洲和亚洲在美国输出贸易上的位置日益重要了。入口项中，生丝价值最巨，由日本中国输入；橡皮、金属品、咖啡、茶、糖等次之；橡皮由东印度群岛输入；蔗糖来自古巴、菲律宾和西印度；咖啡来自巴西、委内瑞拉和哥伦比亚。

金元外交

美国在欧战以前尚是资本输入国，欧战期间，因工业膨胀、输出增加和资本积蓄的结果，使它成为世界最富的国家。资本既患过剩，于是获取世界投资市场的狂热的活动便展开了。截到一九三〇年，美国对外投资（战债不算在内）的地域上的分配，有如下表：

第十三表　美国对外投资表（单位：百万美元，据瓦尔加著《帝国主义论》）

	1913 年	百分率	1930 年	百分率
欧洲	350	13	4,535	29.5
加拿大	750	28	3,854	25.2
拉丁美洲	400	50	6,333	34.6
其他	225	9	1,662	10.7

世界各国大半为美国的债务国，而欧洲各国差不多全部都是美国的债务者。美国投资的种类，可分为政治投资与企业投资二种。在欧洲的投资多为前者，如战债，道威斯计划借款，货币安定借款等。战债一项已占对欧债权的大半；美国常以战债胁制欧洲诸国，为欧美对立的一个主要原因。但因经济恐慌的影响，有好些国家不能如期偿还，美国也无可如之何。对加拿大的投资，则多为工业投资；对拉丁美洲的资本输出，则几全以资源的独占为目的。古巴的蔗园，中美南美的煤油田，尤为美国投资最活动的场所。可知金元外交之怎样带着殖民地侵略的性质了（参看第二图）。

美国的殖民地与势力范围

美国加入殖民地的争夺，始自一八九九年夺取古巴的美西战争。现在美国拥有的殖民地为阿拉斯加、波多力哥、菲律宾、夏威夷、南太平洋中的关岛和萨摩亚岛、巴拿马运河地带和西印度的威贞岛。位于加拿大西北隅的阿拉斯加，面积一百八十五万四千方公里，富于森林、

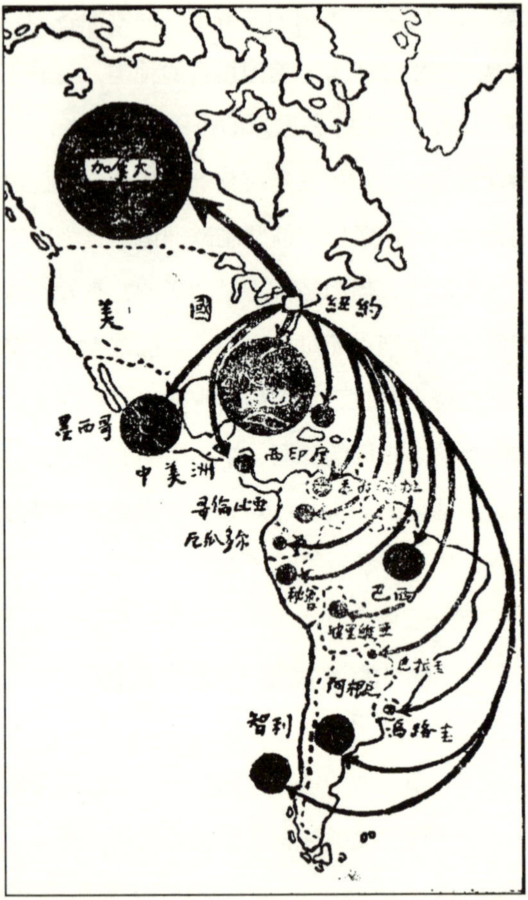

第二图　美国的金元势力

金、铜、煤油、水产和皮货，经济价值虽不很大，然可为进一步占领加拿大的阶梯；从它那儿伸至堪察加的阿留申群岛，近年且成为美国在北太平洋的海军根据地（荷兰港）。波多力哥产蔗糖、咖啡、烟草之属，可补充美国的需要。威贞群岛是加里比海的锁钥，足以控制中美和大西太平两洋。夏威夷群岛为美国至亚澳两洲的半路岛，且同时是头等的海军根据地，美国在该岛珍珠港已筑有军港以防备日本。岛内富于热带植物，亦饶有经济的价值。日本人的移植夏威夷者反比美人为多，久存觊觎之心，已成日美对立的一个因素。关岛和萨摩亚岛近年亦积极经营，为美国在南太平洋的海军根据地。不过附近的雅普岛为日本所夺，不无遗憾。在美国的殖民地中，菲律宾最为重要。那儿有三十万方公里的面积，一千余万的人口，广大未耕的沃土和森林；盛产烟草、甘蔗，和其他热带植物，大可供美国资本主义的榨取；它输出入贸易均为美国所垄断，而且它的位置适当南太平洋航路的要冲，为侵略远东的一个好根据地。美国已筑军港于马尼拉，以备将来太平洋战争之用。但是，菲岛既逼近日领台湾和代管的加罗林群岛，在战时很容易为日本所占领。且日人在那儿积极投资垦植，日货的侵入日甚一日，更鼓吹菲律宾独立，形势岌岌可危，故最近美国虽已逼于菲人的要求，许它名义上独立，而仍保留代任国防的权利。独立以后，以不受《华盛顿条约》束缚之故，美国可积极在菲布设国防；经济独占之依然保持，自不待说。

美国的殖民地虽不如英法所有者之大，但它的势力范围却不见得小，而且正一天一天以英国为牺牲，而膨胀起来。在“美洲人的美洲”的“门罗主义”口号之下，借着金元外交和政治阴谋以至武装干涉，美国已逐渐把拉丁美洲和加拿大化为它的附庸国。中美和西印度诸国殆已完全为美国资本所支配；古巴、尼加拉瓜、巴拿马、圣多明各和海地已在政治上失其独立地位。在南美国家中，除阿根廷尚有英国与之抗衡之外，也已可以任其为所欲为。泛美同盟只成为美国的大美国主义的一种表现。在美洲以外，美国则提出“门户开放”，“机会均等”的口号以进行侵略。美洲以外的美国势力范围，在远东则有中国；甚至澳洲印度亦为美国经济透入的对象；在近东则有波斯，叙利亚，和土耳其；在非洲则有利比里亚和摩洛哥。至于加拿大与美国的关系容在英帝国一章再述。总而言之，美国的势力范围的扩充，一方面使它与英国作世界规模的冲突，他方面使它与日本的利害——特别是在远东——不相容，所以日英美的三角关系，十分复杂，成了国际政治问题的一个决定的因素了。

习题

（1）美国的地理条件对它的资本主义的发展有甚么作用？

（2）美国工业的组织形态有甚么特征？

（3）美国型的农业的本质怎样？

（4）美国资本主义下降的趋势在甚么地方表现出来？

（5）美日英冲突的地方何在？

（6）美国与它的殖民地状况怎样？

第八章　英帝国集团

英国的特征

英国与美国同为高度发展的资本主义国家，而英国尤偏于工业方面。其从事农业者的人数在有业的人口中只占百分之六点五，而从事工业者达百分之五〇。一九三一年，其城乡人口的比例更为八十与二十之比。就伦敦一地论已几占全国人口的五分之一。本国的谷物不足供其人口三个月的消费。在对外贸易上，食粮和原料占输入的四分之三，工业制品与煤炭占输出的百分之八〇。英国对外投资的巨多，亦可窥见英国资本主义发达的高度。

英国的资本主义发展最早，因为它是位于大西洋东北岸的岛国，这种优越的地理条件，在新航路和新大陆发现后，便使它的商业和海运得到空前发展的机会，因而使它最先发生了工业革命。同时，海外殖民地的掠夺，使英国有了大量的原始蓄积；由羊毛纺织业而起的农民土地没收运动造成了农业资本主义化的先决条件；加以煤炭和铁的资源之丰富与彼此产地相近，使英国得以充分利用和发展新的技术。因此新的生产样式首先见于英国，使它在世界经济上占独占的地位（生产甲于世界，贸易海运均归其垄断），直到十九世纪末年为止。二十世纪的初头，英国在世界生产上的首席即为美国所夺，而德国也有急起直追之势。到了大战之初，英国的生产额，只占世界的四分之一（十九世纪中叶占二分之一）了。大战以后，英国资本主义便变为慢性的停滞，工业生产额低至战前的水准以下（一九二九年的指数等于一九一三年的百分之九八）。这种停顿，虽与战后世界资本主义的总危机有关，而主要还是为本国的资本主义发展的特征所决定，兹略加以检讨如下。

工业的构造

英国最初发展的工业为纺织业和造船业。到产业革命后钢铁业和机械制造也发达起来，到现在这几部门的工业在英国国民经济中仍占重要的地位。但是现代经济中最重要的化学工业、电机工业、汽车工业的发展却比美德为慢。最可注意的，就是英国以多年享受世界的工业独占和市场垄断的利益，没有竞争的刺激之故，遂固定于一定的组织水准和技术水准之上。生产的集中，不如美德；煤业尤甚（在一九二四年，二千五百所的炭井由一千四百企业经营）。这种分散性的结果，使英国工业的技术也劣于美德两国，所以它工业机械化的程度亦较低，例如一九二四年英国的煤炭采掘，只有百分之一九机械化，而在美国则达百分之六七。在棉业方面也落日本之后；英国的棉纱工场设备，旧式机占百分之七五，而日本则全部为新式。只有新兴的工业，在组织和技术方面有着高度的现代化。其次，对国外市场的倚赖，也为英国工业的一个重要特点，棉织业的百分之七五，毛织业的百分之二〇，煤业的百分之二五，冶金和机械制造业的百分之三〇，都是为外国市场而制作。美、德、日的激烈竞争，使英国的海外市场日益狭小，因此，以输出为目的的旧工业便陷于慢性的恐慌中，工作多半停顿。近年虽努力于合理化，也不能与美德等新兴国家抗衡。

煤铁的结合确为英国工业的基础，英国工业的地理的分布也就与煤铁的产地有关系。现代英国基本的工业地方，即在煤矿最丰富而也有铁矿的中央部，棉业中心的曼彻斯特，冶金业中心的伯明翰都在那儿。其他几个工业中心，如格拉斯哥（煤、冶金和造船），纽喀斯尔（煤、造船、冶金、纺织），加的福（冶金和煤）也是在煤田的附近。可是近年来英国的良好煤矿逐渐消竭，开采较难，铁矿的储量本只占世界百分之三，在十九世纪末即已不足供英国的钢铁工业之用，今所消费的铁矿已有四分之一以上要从西班牙、瑞典、阿尔及利亚等国输入。煤铁的枯竭对于英国工业地位也有很大的影响。

农业的构造

英国的工业发展，一开始便以农业为牺牲。农业现在只具有次要的意义，所生产的绝不足供国内的消费，小麦需要的百分之八〇，肉类需要的百分之六〇，脂肪需要的百分之八五，均须倚赖国外的输入。因为海外廉价谷物的竞争，谷物的播种面积还不到全部耕地的一半，牧畜、草料栽培和蔬菜园艺转较发达。不过英国农业有高度的资本主义化，自作农完全绝迹，土地集中于地主手中，大部分租与大农，后者雇用劳动从事资本主义的经营，应用人造肥料和机械，生产率颇高。

对外贸易与投资的趋势

英国国民经济的发展既偏于工业一方面，食粮和重要原料（羊毛，木材的十分之九，铁矿的二分之一，原棉，橡皮的全数）既须靠海外的供给，而工业生产物的大部分又须输出于外国，故其对外贸易有极重大的意义，它的贸易网遍于全世界。但是，因为其他工业国家的竞争，英国的输出贸易在世界市场的位置，业已渐次低落。自一九三一年九月停止金本位以来虽略有好转，但仍未恢复到一九二四年的水准，下表即指出这个事实来。

第十四表　英国对外贸易金额及数量的指数（一九二四年为一〇〇）

区分年次	输入		输出（不包含再输出）	
	金额	数量	金额	数量
1920	95.6	110.9	89.2	108.3
1930	81.7	108.1	69.9	88.7
1931	67.4	110.6	48.3	67.6
1932	54.9	97.2	44.2	68.1
1933	52.9	98.0	44.3	69.5

本表据三菱经济研究所《世界经济之现势》（日文）一九八页。

前面已经说过，英国的输出以制造品占大部分，就中占最重要地位的棉制品近年已呈衰势，一九三三年的棉制品输出额仅占输出总额的百分之一六，而羊毛制品和其他纺织品合计亦只占输出总额之百分之三〇。次于纺织品的重要输出物则为煤炭、钢铁、机械等。英国向为巨额入超的国家，但有很可以自夸的“无形输入”（如投资利息、航业利润、殖民地收入等），以前足以抵偿入超之额而有余。可是一九三一年国际收支竟亏至一万万镑，最近几年船舶和投资收入激减，虽极力统制贸易，限制输入，但国际收支恐仍恶化。

在欧战以前，英国为世界最大的银行家，伦敦为世界金融的中心。它的海外投资不独以它的属领为对象，而且在好些形式上独立的国家亦占支配的地位。美洲的阿根廷、巴西，欧洲的斯干的纳维亚诸国，远东的中国，都是英资最活动的场所。铁路的支配和原料的独占为英国在落后的国家投资的主要目的。

英帝国概观

英国的殖民地掠夺始自十七世纪之初，虽略比西葡和法国为晚，但到了十八世纪，它渐把印度、加拿大、非洲各处殖民地夺过来，并侵入海洋洲。拿破仑战争后，英国殖民地大增。对印度支配的巩固，使它以保障印度的安全一目的为中心而陆续扩张其殖民地，至一八六九年苏彝士运河开辟，而大英帝国的建筑便告成功。欧战的结果，又使英国得了许多重要的属地。它的领土占全地球陆地的四分之一，故英国在工业贸易上的独占地位虽已破坏，但它的殖民地独占依然存在。

英国各属领的经济发展的水准是极参差的，其中自治领的资本主义比较发达，政治上因也较为独立；印度、东非、美索不达米亚等地，则仍维持着前资本主义的榨取形态，止于农业附属国的水准，它们的经济发达为英帝国主义的政策所强行阻止。大体上说来，英国所需的重要原料和食料的供给，有大部分靠它的属领供给。兹将这些原料和食粮之来自本帝国者的百分数略举如下：

麦——五〇	羊毛——八〇
橡皮——七五	镍——一〇〇
锡——六〇	干酪——八〇
牛油——五五	石铅——四五
黄麻——九〇	锰——四五
石棉——六〇	

近年来商品和资本的输出，因别国竞争的关系，也渐移向帝国内。为垄断帝国内的贸易起见，遂有一九三二年的沃大瓦协定，根据该协定，自治领和印度给予英国的商品以特惠，英国向帝国的输出，遂为之增进。

英国的属领既散布于全世界，离母国极远，故强大海军的据有和海上的制霸，在英国特别重要。不过，从地理上看来，这个庞大的帝国是有重心的，这重心就是印度洋。因为除了加拿大——日益美国化的加拿大——以外，英国的属地都像环链一样绕着印度洋，从澳洲起，经北婆罗洲、马来半岛、印度、锡兰、美索不达米亚和巴力斯坦、英属东非以至南非联邦都是滨临该洋，星罗棋布于该洋的海岛更不可胜数。而印度在这一环链的中间，更像一颗最宝贵的珍珠（参看第三图）。为保障本国到这些属地的最短途径，英国便在地中海通印度洋的沿途，占夺和经营了好多优良的海军根据地，就中直布罗陀，马尔太，亚丁和新加坡更是决定这条交通路的安危的枢纽。世界大战以后，英国的取得美索不达米亚，虽使它在苏彝士运河的安全多得一重保障，但以军事航空发展之故，逼近意国西西利的马尔太岛和靠近意属非洲的亚丁均有被意国的飞机轰炸之虞，意国籍地中海轻型军舰和潜艇之助，更可把地中海与印度洋的交通遮断。正因为英国的海上交通有着这种弱点，所以英国在这回的意阿战争中，便不敢封锁苏彝士运河以压迫意国。为补救计，英国一方面已极力经营由本国经伊拉克到印度的航空线，一方面计划恢复绕道好望角的旧海路，而力谋在南非沿岸建筑强固的航业和海军根据地。

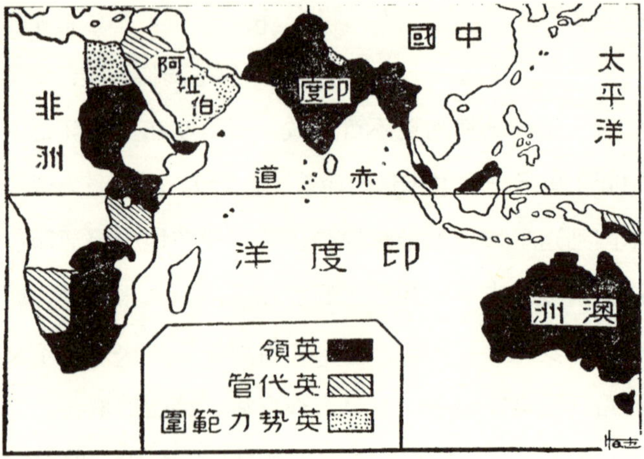

第三图　大英帝国的内海——印度洋

英国的势力范围

在政治的外表上不隶属于英帝国、而事实上形同英国的保护国，或在经济上为英国支配的，还有许多地方。埃及、阿拉伯半岛和西藏便是前者之例；荷兰和葡萄牙的属地，拉丁美洲的智利和阿根廷，欧洲的葡萄牙，斯干的纳维亚诸国和希腊，便是后者之例。不过近年来英国的势力范围已日渐缩小，波斯，阿富汗的独立运动，美国势力在拉丁美洲的进展，特别予英国以打击。兹进而把英国的最重要殖民地略加论述。

爱尔兰

英国征服爱尔兰始自十二世纪，经济政治的压迫特别惨酷。爱尔兰岛既正当着英伦出大西洋之路，它的统制因而成为英国在欧霸权的一个根据。在经济上，爱尔兰富于草场，且盛产麻，本宜于毛织工业及麻织业的发展，英国惧其竞争，极力加以破坏；因此，除东北部外，爱尔兰仍以农业为国民经济的基础。在英国的土地掠夺及其他的压迫之下，爱人日益贫穷化，人口锐减，大批的逃往北美（现在北美的爱人有九百余万，两倍于本国）。因为爱人不断的反英运动，爱尔兰终于一九二二年得到自治的许可，但是新的爱尔兰自由邦只限于经济不发展的南部二十六州，而北爱厄尔斯他省（造船业麻纺织业颇发达）却被割出于自由邦以外，而使爱尔兰在经济上仍不得不倚赖大不列颠和北爱尔兰（自由邦的入口贸易额中英国占百分之八十，输出额中英国占百分之九十）。而且爱尔兰的海岸由英国舰队防守，本邦军队不得超过定额，这可见英国是依然死握着爱尔兰不放的。

加拿大

在英国的属领中，加拿大是最大的，它的面积几四十倍于英国，比美国还大。人口却很稀薄（一千万人）。以资源论，加拿大也是很有价值的。它虽位于寒带，但南部有五万万英亩可耕的沃土。借着“美国型”的农业经营，谷物的生产激增（由一九一四到一九二八年增到二倍以上），小麦生产现占世界第三位，输出占第一位（大半供输出）。森林海产也很丰富。煤油的储藏次于美国、苏联和中国；水力供给在欧洲各国之上。惟丰富的煤矿因位于交通不便的地方不能应用，须从美英输入。镍的产额等于世界总额的百分之九〇；石棉百分之六〇，占世界第一位；锌、铝、金、钴的生产占第二位，银和铜的产额占第三位；铅的产额占第四位。有这样天然的特惠，又借着外来的资本，加拿大便逐渐工业化。其主要的工业部门为食料品工业和木材制纸工业，其次则为农业及机械制造工业。

这样说来，加拿大对于英国的重要性当然很大，不幸，加拿大是远在英帝国的重心——印度洋以外，而为英国劲敌的美国反在近邻，除大湖外与美国没有天然的疆界，它的政治和经济的中心也恰在靠近美国的地方，加拿大和美国的交通比它国内东西两部的交通还方便。因此，一有机会，美国的资本便可很容易地侵入加拿大了。在欧战以前，投资于加拿大者，当然，以英国为最多，三倍于美国（参看第四章第六表）；到了大战期中，加拿大的产业急剧膨胀，便向美国大举借款，此后美国的投资便一年一年的增加，早已压倒英国。加拿大的工业在一九二〇年间已有四分之一在美国资本家的掌握中，最近当倍于此数。以对外贸易论，一九三四年加拿大的输入贸易中约有百分之六〇来自美国，而英国只占百分之二〇；在输出贸易中，英占百分之四一，美占百分之三四。（这数字表示现在已比前几年略有利于英国，这显然是靠沃大瓦协定之赐。）而且加拿大本身的资本主义也有相当的发展，加拿大究竟完全独立，抑或与美合并，抑或仍旧属于英帝国之内，便成问题。不过英国在加拿大仍拥有一部分的经济势力，且它的谷物和木材又为英国不可缺的入口货，英国当然不肯轻易放弃加拿大。所以就以特惠关税和其他的让步联络加拿大。在加拿大方面，因近年受经济恐慌的打击之故，也欲在帝国内扩充他的贩卖市场。沃大瓦协定的所以能够成立，就是因为这个缘故。可是，加拿大既为美国的原料补充地、资本和商品输出的优良市场，在贸易上又那样倚赖美国，自然它不易脱离美国的束缚。所以英美在加拿大的斗争，只有仍然继续下去吧。

澳 洲

澳洲和纽西兰是离英帝国最远的殖民地，僻处东半球的东南隅。然自太平洋时代莅临以后，澳洲位置已不如前的冷落，现在且有定期的航空线与英国相通。澳洲虽有大部分的砂砾不毛之地，但以外的土地却适宜于谷物的种植和畜牧，小麦的输出占世界第二位。羊毛的生产尤占重要，占世界第一位。皮革、制肉和乳酪产品也为输出大宗。金产不让美国，煤铁亦可自给。借着高度的保护关税和欧战的刺激，亦渐见农产加工的工业、纺织业、炼矿业的发展。不过因工资相对的高昂（这与限制有色人种之移入有关）和原料相当的贵，国内制造品颇难与舶来品竞争。近年来因为世界经济恐慌，羊毛小麦价格暴落，澳洲便陷于财政和经济交错的危机之中。

英帝国自治领地经济上离心的趋势在澳洲也表现了出来。在沃大瓦会议以前，英国在澳洲输入贸易上虽占首位，但美货的势力有急剧的发展（一九二九——三〇年占其总输入额的百分之二三点一），沃大瓦会议以后，高度关税虽渐把美货排斥（一九三三——三四年，只占百分之一二点八），但廉价的日货非关税墙壁所能阻止，它的输入反渐增加（在同一时期，由百分之三点二增到百分之六点[1]），在纺织品方面且有压倒英国之势，因此最近澳洲政府不得不把关税提高，而日本遂以不买澳洲羊毛为报复。此外，澳洲在大战期间和战后所需的资本，因伦敦不能充分供给，而转向纽约募集，美国在澳的投资已达十亿美元。美日的属地既逼近澳洲，而经济的透入又一样的可怕。英国对澳虽有鞭长莫及之

[1] 原书此处缺漏。——编者注

势，但以澳洲既为重要原料的供给地，在太平洋的军事地理上也很重要，故在经济和军事上也不能不急筹防御之策。

南非联邦

从荷兰人夺取过来的南非联邦为非洲中经济最发展的区域。最重要的农产物为羊毛，在世界羊毛市场上，南非占第四位，棉花和甘蔗的栽培也很有希望。但是南非的最重要资源还是矿物。南非成为金产第一位国家已近四十年，产额超过世界总额的一半也有十多年。自一八八四年至一九二八年南非产金共值九千七百二十七万万二千一百万英镑。一九三三年其黄金的输出也值四千六百万镑，占输出总额的百分之六五，全部送往伦敦。此外白金和钻石也为南非有数的矿产。煤产可以自给，战后且略有输出。欧战期间和欧战后南非工业有颇急剧的发展，但主要地仍是供给原料的国家。在战前英国几独占南非的对外贸易，战后它的地位已不如前，惟自一九三一年后又渐略见好转。随着南非资本主义的发展，南非的民族主义者渐露头角，荷兰人与英人的旧裂痕，仍未泯除，国社党的德国又有窥伺南非的野心，所以南非的离心，也是英帝国的一个问题。

英属印度

英属印度包含印度半岛、缅甸、锡兰，及尼泊尔、不丹两保护国。它的面积几二十倍于英国，人口几占世界全体的五分之一，它的被榨取植下了英国资本主义发展的基础，到现在它仍是英国一切属地中最富饶和最有价值者，故有“英国王冠最美的珍珠”之称。印度三面为海所包围，北部有喜马拉耶山脉和西藏高原为天然的屏障，但西北角仍可通西藏、阿富汗和波斯，这三地的控制，为印度安全的保障，战前英俄的轧轹，战后对苏联“赤化”的防范都为这个缘故。印度中部恒河流域所构成的肥沃平原，为印度的农业中心区域。因为气候和地质条件的纷异，印度盛产种种的农作物。米（占世界产额的四成）和黄麻的生产甲于世界；棉花占第二位；茶、蔗糖、烟草、小麦、橡皮、油籽等生产均有世界的重要性。英国所消费的黄麻的全数，茶的百分之九〇，米的百分之六〇，棉花的百分之一〇，都是来自印度。印度的矿物也很丰富：煤的储藏量占世界第九位；铁占第十位，且与煤田相近；煤油占第六位（缅甸）。锰的产额仅次于苏联，银锌也颇多。

英国的占领印度已有二百余年，但印度至今还是以农业为国民经济基础的半封建的国家。三亿五千万人口中有百分之九〇住于农村，而有百分之七〇从事农业牧畜。封建关系的支配为印度农业的特征，全耕地的一半属于地主，农民的土地狭小破碎。一方面富农的大规模经营日益增加，他方面农民沦为佃户和雇农者也一天天增多（农业无产阶级达四千万），加之以高度租税的负担（常占贫农收获的一半以上）和英国其他的榨取，高利贷和居间商人的吸血，印度的农民大众，便陷于极可悲惨的境界中。贫穷，饥荒，死亡，便是英国的统治给予印度人的恩惠。印度有一万万以上的农民终年不得一饱，每年差不多要发生饥馑一次，二十世纪开头的二十五年中印度有八千万以上的人饿死，婴儿死亡率甲于世界，印度人的平均寿命，几只及英人的一半，且比前世纪为短促。

在资源上，印度本具有工业化的条件，但英国也像在别的直属殖民地那样，极力阻止印度工业的发展。只到了欧战期间，一方面因为英货对印的输入减少，另一方面还须从印度供给一部分军需品，所以英国的财政资本家便把企业移到印度来，以收役使廉价劳动之利；同时英国也对它正要利用的印度资产阶级，稍为让步，允许给予某种程度的保护关税，所以印度的工业，才见成长。就中，棉纺织业最为发达，以孟买为中心地，纺锤今达九百七十万（一九三三年），次为制麻及制糖工业。钢铁业自大战前夜发轫，战时发展颇快。铣铁已有大量的输出，但钢产仍不够本国的需要。随着工业的发达，工资劳动者已增到四百万人，劳动和生活条件的低下自不待说。可是，大战以后英国仍欲束缚印度于农业的水准，永为英国的贩卖市场和原料供给地，多方抑制它的工业的发展。这便引起印度资产阶级的迭起的民族运动。但因劳动和农民运动的同时发展，印度的资产阶级遂与英国妥协，而举行数次的圆桌会议，结果，印度采用联邦制，与缅甸分离，自有立法机关；但外交军事财政之权，依然属于英国，地位远比自治领为低。印度向为英国棉货最大的市场，近年日货成为英货在印度的劲敌。沃大瓦会议以后，英国极力用差别关税的方法来阻止日本的棉货，英国在印的输入贸易才有进步（一九三二年占输入总额的百分之二五，一九三三年增至百分之三一）。其后日本以不买印棉为报复，几经协商，始得妥协。

结 论

由上所述，我们已可看见这个“日不没”的帝国已到了它没落阶段，它有着重重的矛盾。而最重要的却是以下两点：（一）英国在殖民地的拥有上仍保持独占的地位，但是它的世界工业生产的独占早已崩坏，因而在世界市场和海运上的独占也丧失了。同时英国所极力经营的海上交通的安全破绽也露了，使英国与殖民地的联络更其可危。（二）英国因世界市场独占的失去，美日等国竞争的加强，在对外贸易上对帝国的倚赖愈益加深（参看第四图），但其属地却愈见离心的倾向。工业有相当发展的自治领和印度，特别是如此。经济的合作是英国所期望于自治领的唯一的事，但彼此的利益究有抵触，关税的优先待遇也以不侵犯自治领的工业保护原则为限界。越经一次帝国会议，便越见自治领地势力的增加和英国的让步。不过这个老大的帝国还在拼命挣扎着，它力谋以帝国内部的经济团结，来跟它的劲敌美日作殊死战，世界战争的危机，便为之促进了。

第四图　英国对海外领土的贸易

习题

（1）英国资本主义在十九世纪中叶以前为甚么有那样急剧的发展？

（2）英国资本主义在甚么地方现出衰颓之点？

（3）加拿大与英美的关系怎样？澳洲和南非对于英国有甚么重要？

（4）在英国统治下的印度经济状况有甚么特色？

（5）英帝国主义的矛盾何在？

第九章　日本集团

说起日本经济集团的形成来，诚然是很可痛心的，但是，日本与伪满之成为一体，独占中国的进展，和在东亚其他方面的制霸，的确是一个冷酷的事实，不容否认。故本章的论述便不得不侧重于日本帝国主义的发展，以及以瓜分中国为中心的太平洋问题。

日本的特征

日本资本主义的发展，只有六七十年的历史，但它现已成为有数的大帝国主义国家之一。由它的急速发展，更可证明决定一国经济发达的要因不是地理条件，而是社会条件。因为资源的贫弱是日本经济的主要特征：煤的储藏只及世界总额的百分之〇点一，且质劣而开采困难；煤油只够供它的需要的百分之一〇；在动力资源上，只有水力丰富。铁矿仅及英国所有的七十分之一；矿产中只有铜比较上最多，近年也不够本国之用；特殊钢生产所必需的各种金属也差不多没有（镍缺百分之一〇〇，铝缺百分之九五，锡和铅百分之八八，锑百分之六三）。所以日本的工业发展是缺乏它们的技术的经济的基础。而且日本没有肥沃的大平原，土地狭隘（适于耕作的土地只占全面积百分之一五），农业发展的条件也不顺利。即棉、羊毛、橡皮等重要原料，日本国内亦不能生产（现在连它的殖民地合计，棉缺百分之九五，羊毛百分之七五，橡皮百分之九七）。可是不管日本的地理条件有那样的不利，日本资本主义发生以后，便借着对殖民地的榨取，尤其对中国的侵略，而转化为帝国主义强国了。

工业发展的现阶段

日本工业的发展，主要地是靠水力资源来弥补它的煤和煤油贫乏的缺憾。它的水力利用现居世界第三位

（第一位为意大利，第二位为法国），因此电力化的程度很高。在日本各工业部门中，冶金工业和电机工业有急速的发展，机械制造已渐能将舶来品驱逐于本国市场之外。旧工业中，棉业依然据着日本全工业的王座，以大阪为中心。在棉花消费上，日本已跃居世界第二位。棉业所雇的工人，占全国劳动者的半数，主要地为国外市场而制造，原料的供给则须仰赖美国印度中国和埃及。丝织、毛织和人造丝工业（后者现居第一位）近年有急速的发展；化学、制糖、制纸、洋灰等工业亦然。

产业的高度集中也见于日本。例如棉纺织业的百分之九〇集中于大日本纺绩联合会之手，电力工业属于五大电力会社所有，制糖工业为六会社所支配。银行的集中也与工业的集中相应，全国的资金集中于五大银行。产业资本与金融资本联结的三菱三井两财阀，更是日本经济和政治的领导者。日本独占资本主义既有这样高度的发展，而它又那样缺乏必需的资源和倚赖国外的贩卖市场，所以它的黩武的性质——帝国主义的性质便特别显著。

农业的构造

随着日本工业化的行程，农业在国民经济上的地位没有从前那样重要。农业人口现占全数的百分之四八，由一九一四年至一九二八年，农业的生产价值在全国生产总值中的百分率由百分之五四减到百分之四一。米为日本主要的农产品，耕地有一半以上种稻，然所产只供国内需要的四分之三。生丝的生产在日本发展极为迅速，五十年内，日本的丝产竟超出中国之上，供给世界需要额的大半，养蚕户数占全国农民人口的百分之四〇。日本产茶颇巨，占世界第四位。日本虽为一个大森林的国家，近年以木材和制纸工业发展之故，仍须靠国外输入。日本的水产甲于世界，独占北太平洋西岸的渔业，为日本的一个目的，因而与苏联常发生渔业的纠纷。

日本土地的大部分集中于农村资本家和地主之手，自作农只占农民全体的百分之四六，其余全部或一部要佃租地主的土地。经营的土地面积在一町步以下的小农占全数的四分之三，佃农纳租超过他的收获的一半，负债者占百分之八〇以上。在地主的高租压迫、高利贷的榨取和小农经营之下，日本的农民实难希冀以改善农业技术的方法来增加生产力。这种土地所有制度和封建剥削，实是日本国内粮食不足、大众贫乏，和农民移殖外国的主要原因，而人口过剩只不过是日本帝国主义的托词而已。

日本的贸易战

日本对国外贩卖市场和资源的倚赖既不减于英国，故它的对外贸易的发展极为迅速。在欧战期间，日本不特独占东亚市场，且有余力供给欧洲协约国的需要，贸易总值比战前骤增三倍，输出并因此超过输入。战后欧洲各国在国际市场的能力渐次恢复，日本的输出贸易减退，故日本不得不限制输入。当世界经济恐慌的初期，日本因国外市场的缩小，工业活动大受打击。因此，它一方面厉行通货膨胀政策（一九三二年），一方面另谋产业的合理化，而把本来工资已很低廉的劳动者，再加紧剥削，所以日本在世界市场的竞争能力大为增加，由一九三二年至一九三四年，它在世界输出贸易上的百分率已由百分之二点八增至百分之三点三。

在欧战以前，日本的输出多为农产品，输入多为制造品；战后的趋势已与一切高度工业化的国家一样。在输出项中，棉货占百分之二〇。借着现代化的棉业工场设备，廉价的劳动和通货膨胀，使日本的棉货输出已夺去英国的位置而占世界的首席，约等于世界输出总额的百分之四五（一九三四年，日本棉制品输出为二十五万万七千七百万立方码，英国只为十九万万九千五百万立方码）。人造丝制品的输出也有同样的趋势。

日本向以美国（主要地是生丝的输出）和中国为最大的顾主。但近年来廉价的日货已如水银泻地无孔不入，在英法美等属国的远东属地固见日货之充斥，即在欧洲、非洲和南美，日本的输出也见其意义的增大。在日货的威胁之下，其他的帝国主义国家不得不谋对付的办法。最近世界各国的纷纷提高关税，差不多全以日货为防止的对象。日本虽以报复相恐吓，但其输出贸易无不多少受到打击，一九三六年上半期它的对外贸易已有后退的趋势。

日本的殖民地

殖民地的拥有和榨取是日本资本主义的生存条件，已如前述。日本的位置恰正对着亚洲大陆，南接台湾，北至库页岛，大陆既近在咫尺，而又富有日本所缺乏的资源，且经济落后，正好作日本殖民地夺取的对象。在欧战和近年欧美列强自顾不暇互相对立的时候，日本便充分利用这种地理上的优越来扩充它的殖民地了。

日本最初领有的殖民地为夺自中国的台湾。日本许多的企业自占领台湾后才发展起来，可见台湾对于日本帝国主义的重要。这因为台湾的资源很丰富，有着热带和亚热带的植物，尤盛产蔗、米、茶和烟草。台湾的领土约百分之八〇为森林所蔽；樟树、芭蕉和竹尤称重要。矿产有煤炭、煤油和少量的铜和金。台湾到现在还是一个供给原料的农业区域。日本人以所谓原始蓄积的方法把台湾人的土地没收，他们虽然也有少数的大地主，但大多数农民仅有很少的土地，或者沦为佃农和劳动者。矿物富源的开发集中在日本人的手中，砂糖、樟脑、烟草和酒精由政府独占。制造业中以糖工业为最重要。这个砂糖王国所支配的土地，约占全岛耕地的十分之一，供他剥削的蔗农占全体农民之百分之五五。近年世界农业恐慌——特别是糖业恐慌——予台湾农民以很大的打击。台湾与福建只隔一海峡，它的南端的各岛与菲律宾只隔一巴什海峡，故台湾不但是日本南方的门户，而且是它向中国南部（特别是福建）和南洋侵略的阶石。日本在基隆和澎湖群岛本已筑有强固的军港，但最近因它的大陆政策既已成功，遂锐意贯彻它的南进政策，一方面急激开发台湾的产业（如设立台湾拓植会社），他方面加强台湾军事的设备（如在台建筑大规模的飞机场，台湾总督之改为武官制），故台湾在日本帝国中的地位更形重要。

朝鲜是“九·一八”满洲事变以前日本最大的殖民地，它的面积几可与大不列颠相等。朝鲜既为产米的国家，而气候土壤又可以植棉。森林占全面积百分之七〇。煤的藏量等于日本国内的百分之二四；铁矿藏量也有五亿二千万公吨。金产年值五千万元，镍铜等有色金属亦有若干。故在粮食和原料的供给上朝鲜对于日本很有补助。且朝鲜与满洲只隔鸭绿江与图们江，朝鲜的占领，即可为进夺中国东北的根据地。日本开发朝鲜主要以增加米产和开拓植棉区域为目的。经营的结果，米产已有急剧的增加，鲜米向日本输出者年达六七百万石。最近更标出南部植棉北部畜羊的政策。现在南鲜棉地的收获已将达二亿斤，计划在二十年间增至七——八亿斤，添上满洲的棉花，便可自给。在北鲜则有改良增殖绵羊的企图。矿业、铁道和电力工业都集中在日本企业者之手。制造业略具规模者只限于纺织、金属制造和食料品原料的加工，其余全是半手工业的小经营。自“九·一八”事变以来，日本极力谋以朝鲜为日伪交通的联环，除完成吉会铁路之外，并改良铁道终端港的罗津，清津，雄基等港；此外还开拓北鲜的航空路，使日本朝鲜满洲的交通高速度化。朝鲜的开发诚然已与日本的经济相适应了，但朝鲜的民众却因种种压迫，工资低廉，饥荒，土地收夺和仍然存在的封建剥削，而日渐贫困化，逼着他们离去本国，现在移殖满洲者已达百余万，每年到日本去作工者也有数万人。

在日本其他的殖民地中，南库页岛的煤炭，有相当的重要。南太平洋代管诸岛在经济上的价值虽不大，但以其插在美属菲律宾和夏威夷之间，在军事上十分重要，所以日本现已锐意加以经营。

日本与满洲

满洲——这一块久已为日本视同禁脔的肥肉——终于事实上成为日本的殖民地了！满洲（东北三省和热河合计）的面积占中国全部的十分之一，三倍于日本。土地肥沃，可耕的土地占全面积的百分之二八点四，现在已垦耕者还不到一半。主要的农产品为大豆、高粱、粟和玉蜀黍，产量丰富，有东亚谷仓之称。就中大豆占总耕地的百分之三〇，它的收获占全世界总额的四分之三。南满培栽米棉的可能性也很大，日本对于后者的期望尤深。北满富于森林（占全面积百分之三一），且盛行畜牧，羊毛的供给亦可望发展。但是，日本之所以极力要吞并满洲，主要还是因为满洲的矿物资源。煤炭的埋藏量约有三十亿吨（热河不在内，其实北满的调查很不充分，实际上恐不止此数），现年产一千万吨。铁矿储量约五亿至七亿吨，现铁矿石每年产额三十八万吨，铣铁三十五万吨。满洲特有的丰富的页岩（总储藏量五十四亿吨），又可提供日本以煤油。此外金、铝、盐等资源也有经济上的价值。满洲的资源既那样的丰饶，所以，如为日本所吞并，日本的工业原料的需要便得大半的满足（例如占有满洲，日本的铁便可以增加百分之二六）。

满洲有三千五百万的人口，而工业的发达幼稚（现代的冶金、制油、肥料等工业为日本所独占，所谓满洲三大工业的油房，制面和酿造是旧式的工业），故可作良好的贩卖市场，而铁道的建筑及其他的产业的开发又可容纳过剩的资本。故至少在这两方面，英美也企图满洲的门户开放，而不愿为日本所独占。

但是，满洲的被日本所独占，现已成为事实，我们试将伪满自成立以来经济发展的趋势，拿来一看，便更可了然它对日本帝国主义的作用了。

日本侵占满洲以后第一件重要的设施，就是把所谓国际上的重要产业和基本的产业实行“国营”或加以“行政的统制”。第二件便是交通网的扩充：连收买了的中东铁道合计，铁道长度由六千七百公里增至七千七百公里；此外还在建筑公路网（主要地在北满）和开拓航空网以准备对苏联的战争。第三，在“原料国策”上，日本极力在满增殖棉花和畜产，统制煤油，设立昭和制钢所、日满铝业会社等新企业。第四，借着关税同盟及经济上的支配，力谋独占满洲的贸易。在日本统治的几年间，满洲的输出激减，由出超一变而为入超，自一九三一年（满洲事变之年）至一九三四年，日本对满洲的输出在其输出总额中由百分之六点七增至百分之一八点五。满洲输入的货物中有百分之七〇来自日本和朝鲜。第五，日本在满洲新的私人投资达四亿五千万元，资金在五百万元以上的新兴企业约有三百个。第六，移入满洲的日本人由二十三万人增至三十万人，朝鲜移民也大有增加。诚然，日本在满洲的收获还只是开头，丰富的收获还在将来。不过自从满洲为日本统治以来，中国农民的土地有不少被没收了，农产减少了，中国人经营的企业不是收夺便是被逼而让渡了，赋税的负担由八千九百万而增至一亿四千万。只举出这些事实，已可见这个新的日本殖民地的命运怎样了。而且要知道，日本的大陆政策还不止限于满洲的独占，它进而还要夺取内蒙，华北以至占领全中国。

习题

（1）日本资本主义的发展有甚么特征？人口过剩是否日本向外发展的真因？

（2）近年日本输出贸易在世界市场上的地位怎样？日货的竞争能力之强由甚么说明？

（3）伪满独立对于中国和日本经济上的影响怎样？

第十章　法国集团

法国经济的特征

法国也与英国一样是滨临大西洋的国家，它的殖民地的掠夺，比英国为早，但在资本主义的发展上反不如英国。以前所占有的殖民地大部分逐渐转落于英国之手，至十九世纪初期，始重建它的殖民帝国。不过，到大战以前为止，法国的经济发展还是很缓。这因为法国是金利生活者的国家，它的对外投资纯是高利贷资本，限于国债。从这种投资得到高率的利息，对工业的发展便不很关心。其次，因为煤的缺乏，使法国重工业的发达基础贫弱，也是一个原因，法国煤炭埋藏量约有一百七十亿吨，约当世界埋藏总量的百分之〇点三，尚不如战后的捷克，波兰；而且与铁的产地不近，质劣而难于开采。

法国在未夺回洛伦以前，虽也有颇丰富的铁矿（三十三亿吨），但以缺煤不能炼钢之故，铁矿石的大部分只好输出外国。故在战前，法国占支配地位的工业只是衣料制造的轻工业，而金属工业和机械制造工业则远逊于后进的德国。

法国农业的自然条件本很有利，气候温和，雨量充足，平原沃野间又密布着水道网（长七千余公里）。但是法国所产主要是食料品（小麦、燕麦、马铃薯、葡萄、甜菜等，葡萄生产占世界第一位，所以葡萄酒制造业最发达），工业用的农作物极少，即谷物亦不够本国的消费。这因为法国土地细分，农作规模以小农制占支配地位（但近年土地已渐见集中），小自耕农多半把土地抵押而付高率的利息，佃农则须付高额的地租，更无法利用科学和机械，提高生产力。农业上这种形态也是法国工业发达迟缓的一个原因。经济发展的迟缓，从人口增殖方面也可表示出来。因为都市劳动者和农民大众物质生活条件的恶劣，死亡率高而出生率低。自一八七一年起至一九一一年止，人口仅增加了三百四十万。这可见帝国主义的动力不是由于人口过剩。

战后的法国

世界大战使法国的国民经济起了质的变化。第一，因战时北部主要煤田和最发达的工业地方的被占，法国遂移其企业于中部，极力利用水力，发展金属、化学和其他军需工业。第二，战争的结果，法国获得了阿尔萨斯、洛伦两州，使法国煤产增加了百分之二〇；铁的藏量增至全世界的百分之一六，铣铁的生产增加了百分之三七；钢铁百分之三七，纺锤百分之二七，织机百分之三三，羊毛工业百分之二五。第三，战后法政府既以通货膨胀的方法造成了工业复兴的资金，又借着德国的赔款，而有生产设备的供给，于是工业改建的结果使钢铁和机器的需求为之增加，更给了重工业以刺激。下列一表可征见法国工业在战后的发展（以一九一四年为一〇〇）：

第十五表

年份	全工业	冶金	机械制造	自动车	纺织	橡皮
1919	57	29	58	412	60	305
1924	108	94	123	——	85	538
1929	139	129	157	651	92	861

因为战后工业有这样急剧的发展，在对外贸易上也起了变化，钢铁，机械自动车，化学工业品的输出都激增了（近年输出的三分之二为工业品）。同时工业人口和城市人口也略见增加。随着工业的发达，生产更急速地集中，独占的组织更形加强。拥有五十亿佛郎资本的“炼钢公司”（Comité des Forges）更是法国的经济和政治的实际支配者。不过，燃料的不足，还是法国资本主义一个重大的问题。法国国内的煤的生产，只足供它的消费的八分之五；因此，法国一方面极力发展它的水力（水力的利用占欧洲第二位），他方面便力谋夺取鲁尔和永远支配萨尔的煤田。萨尔复归德国以后，煤矿采掘权虽仍在法国之手，但它的运送已不如以前的自由了。随着国内汽车和飞机的增加，煤油的需要激增了，所以，煤油的国家统制和外国利权的获得便是法国煤油政策的目标。一九二五年，法国已分得伊拉克煤油的百分之二三点七五，从那儿有油管经法国代管地叙利亚出海输送至法国，但法国所需要的煤油仍有大部分倚靠美国和苏联的供给。

在世界经济恐慌开始的时候，法国有“繁荣的孤岛”

之称，但不久恐慌也袭到法国来了，而且比别国还利害一点，至今还没有多少好转，工业生产还没有恢复到战前的水准，故法国的社会斗争最为利害。

法国的殖民地

法国是占世界第二位的殖民帝国，它的殖民地也散布于全世界。像英帝国的以印度洋为重心那样，法国是以地中海为重心。地中海对岸的北非洲是法国最重要的殖民地（占全殖民地面积的百分之八七）。这个非洲帝国在地理上较为团结，与法本国遥遥相望，较胜涣散的英帝国一筹。它对于法帝国主义有三种意义：

（一）为法国原料的供给地和可能的贩卖市场　法属非洲的经济价值，虽不如英属，且有大部分是沙漠地，但比起意属非洲来却胜许多。阿尔及利亚、突尼斯和摩洛哥为谷物、葡萄和矿产（例如阿尔及利亚的小麦产额等于本国的十分之一，该地和突尼斯的铁矿石生产年达二百余万吨）的来源地；法属苏丹和马达加斯加为棉花的供给地；赤道非洲为橡皮及其他热带植物的供给地。

在这些殖民地的对外贸易，法国都居于独占的地位。

（二）为地中海控制上的重要　法属非洲诸殖民地，本为法国向非洲大陆扩充的根据地。但这个企图已为英国所扼而不能实现。但它在地中海的控制上仍有军事的地理上的重要。地中海南岸的要地几已全在法国的掌握；叙利亚的攫得，使法国在东地中海也有了控制的根据地。

（三）为法国军队的补充地　法属非洲人口共有三千六百余万，几与本国的人口相等，法国可利用他们来补充它的军队。在大战时，有二三十万的非洲人为法帝国主义者驱于前线，即在平时，五十余万的法国军队中也有近十万人来自北非。

法属安南的重要虽次于北非，且在法帝国主义中心之外，但为法国远东侵略的根据地。它的面积大于法国，人口有两千余万，为世界上有名的产米区，且可栽植棉花、茶、橡皮等植物，东京且有煤田，年产百余万吨。南太平洋中的新喀利多尼亚岛有镍和其他稀金属，与其余诸岛在军事交通上颇属重要。叙利亚位于地中海东岸，又为欧洲至近东和中亚的陆路要冲，故法人觊觎叙利亚已有数十年，且境内有煤油，能种棉花。今既为伊拉克煤油管的一个终点，在法国的燃料国策上更为一个不可缺的地方。

法国的殖民地，外表上虽也有直属殖民地、保护国和委任统治地之别，而实际上是基于“本国延长主义”为法国政府所直接统治的。法国对于殖民地的管理虽没有英国那样狡狯，但也同样利害。例如非洲土著的土地曾被法国政府恣意收夺。赤道非洲在法国铁蹄之下，二十年间，居民由一千万减至二百万。直属的殖民地虽派有所谓议员出席于法国国会，而只是点缀品。自世界经济恐慌的惊涛袭来以后，仍保持金本位的法国，在国外市场的竞争力遂致薄弱，于是它效法英国，力谋帝国内的贸易上的团结和帝国内的自足自给。由一九二九年至一九三四年，法国由殖民地输入的货物在其输入贸易总额中由百分之一二增到百分之二五点二，殖民地在它的输出贸易中的百分率由百分之一八点八增至百分之三〇点九。不过法国所需的原料的大部分还须从别国输入，离自给自足还远呢。

因为法国对殖民地实施高压的政策，殖民地便屡起独立运动。叙利亚一九二五——二六年的大暴动和今年的民族运动，摩洛哥的一九二六年的叛乱，都是最著的例子。安南的革命运动也不断在进行中。新近法国有许叙利亚独立的诺言，那也只是一种缓和欺骗的手段罢了。

法国的卫星

战后的法国，不独在经济上进为工业大国，而且在政治上代德国握有欧陆的霸权。它借着凡尔赛体系和经济的透入（法国在战后保有巨额的资金，投于中东欧各国），组成了小协约国，把它们和波兰置为自己的附庸，以与反凡尔赛的体系抗争。捷克，南斯拉夫，罗马尼亚三国本为多瑙河流域的国家，在反德反奥匈和反意的目的上颇相一致。一九三三年，小协约国在关税、经济和交通上有更密切的合作。不过，最近德国极力谋破坏它们的结合，时有动摇之势。以经济的发展论，捷克因分得了旧奥匈帝国最富饶的农工业地和德领的西利西亚煤区，工业的发达甲于其他两国。钢铁工业（尤其是斯科达炮厂），纺织，造纸，制糖等工业的产品已有输出，颇足与德国竞争。捷克的银行与法国资本家有密切的联结；许多军需品工场和化学工场的股票大多数都在法国的掌握中。南斯拉夫尚为农业国家，矿业交通和银行为英法比资本所控制，法国的势力尤强。罗马尼亚是巴尔干国家最富于矿产者，煤油特别丰富，生产占世界第六位，在战前为德资所支配，今则分归法英的掌握。

在希特勒上台以前，波兰是法国极忠实的从臣，两国在外交政策上取协同的行动，在外敌攻击时互相为助；同时由互惠的关税谋两国的经济的接近。但最近已有与德妥协，摆脱法国羁绊之势（反苏联的共同目的为德波接近的主因）。波兰虽有颇丰富的煤、煤油、铁矿和锌的富源，但工业的发展仍很缓慢，只煤业和军需工业较为进步。加里西亚的煤油田为法英美资本所经营；上西里西亚重工业的百分之八八为英法所操纵，美国资本在火柴、亚铅等工业中的势力也不弱小。

除了在小协约国和波兰占有很大的势力以外，法国还是所谓“金集团”的领袖。但是金集团中只有比利时和波兰两国，与法国的关系较为密切。在欧战期间，法比在军事经济上紧相合作；战后比国借法之助而扩充领土，获得了德国赔款，后来更订立了法比军事协定以防御德国。比国本为高度发展的资本主义国家，年产煤二千余万吨，铣铁及粗钢各四百万吨，机器、汽车、纺织、人造丝、玻璃工业亦颇发达。在经济上比国与法国财政资本关系甚深，也为法国所支配的国际钢铁加特尔的一员，所以也可算做法国的附庸。

法国与德英意的对立

法德的对立是我们周知的事实。法国的钢铁业独占资本想吞并德国莱茵河岸的煤田和推倒德国的钢铁业；同时德国的拥有丰富的煤而缺乏铁的重工业大王也想夺取法国的铁，压倒法国钢铁业，这一事实是法德矛盾骨子里的主要原因。但是法国在欧陆势力的膨胀，使英国存着戒心：在地中海和非洲方面英法的利益又相冲突（法国在地中海控制使英国的海上交通安全受威胁，法国在非洲扩张的企图，屡为英所阻梗），以致英国对德取了纵容的态度。近年来“纳粹”的德国重整军备，甚至恢复莱茵河的武装，使法国的东疆大受威胁，因此，法国而为自身的安全，遂与苏联采取切实的合作。意国与法国争为欧陆的盟主，地中海的霸者，在非洲的阿比西尼亚、突尼斯、唐吉尔又与法国的利益冲突，但是法国的惧莫索里尼不如希特勒之甚，故随着对德对英的关系如何，而与意大利的冲突时张时弛。

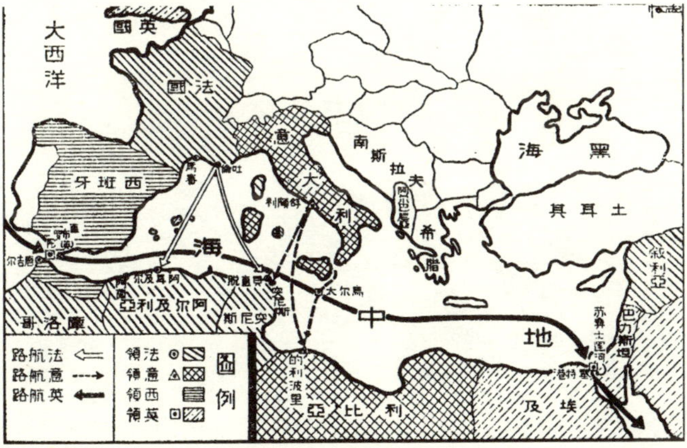

第五图　英法意在地中海的对立

习题

（1）战前法国农工业发展迟缓的原因何在？

（2）法国的资本输出有甚么特征？

（3）战后法国的工业为甚么有那样飞跃的发展？

（4）法国殖民政策与英国有甚么不同？

（5）法属非洲对于法国有甚么重要？

（6）法国在小协约国，波兰，比利时诸国中的政治和经济的支配到甚么地步？

第十一章　德意集团

严格地说，德意集团不是一个经济的集团，因为它不像前述的四个集团那样，以一个帝国主义者为中心，受它的支配。这两个虽同是法西斯国家，但彼此却不相上下。不过事实上以德意为中心以奥匈（甚至波兰和保加利亚）为附庸的集团已渐形成，在最近且有实现的趋势。这个集团是以反凡尔赛、反法国、反苏联的共同利益为基础的。这儿暂把德意拉在一块来讲，也未尝没有理由；但这个集团与别个集团不同之点却应先加以声明。

大战前后的德国

自一八七一年普法战争，德国取得洛伦的铁矿以后，德国资本主义便有急剧的发展；到了大战的前夜，德国已成为欧陆最强有力的资本主义国家了。化学工业占世界首位，铣铁生产占第二位，煤的采掘占第三位，商船队占第二位，对外贸易占第三位。但是，德国所得的殖民地，却不能供给它的工业以充分的贩卖市场和原料。殖民地的争夺，法国的铁的兼并，向东欧近东的扩充，驱使德国发动了帝国主义的战争。可是，战争结果，德国失去领土约百分之一三点〇五，铁矿藏量约百分之七五，铣铁产额约百分之四三点八，钢铁产额约百分之三五，煤的藏量约百分之一九，煤产额约百分之二九点三，加里产额约百分之二五，锡及锌约百分之五〇，此外还失去了面积比本国大六倍的殖民地，萨尔为法国所支配，而且还担负了天文数字的赔款。但是借着外国的信用（美资）和工业的合理化，德国资本主义便渐次恢复起来了。

德国经济的特征

以经济性质言，德国是带有农业的高度发达的工业国。都市人口占百分之六四，从事工业的人口在有业的人口中占百分之四一，从事交通及商业的人口占百分之一七，而务农者仅百分之二三，输出总额中有百分之七〇以上为制造品；输入总额中有百分之八〇为食料、原料和半制品（一九三四年）。

德国工业的发达，基于矿物资源的丰富。煤的藏量以鲁尔区为最，占全国总藏量百分之六〇，因此德国重工业亦集中该地和附近。褐煤的藏量甲于欧洲，以萨克森和吐灵根两州最多。加里的独占大有助于德国农业生产力的进步和化学工业的发展。不过，铁的藏量因洛伦之失而更不足，所需的铁矿石的十分之七要从瑞典西班牙等国输入。此外，铜的四分之三，锌的六分之五，铅的二分之一，煤油的十分之九以上均须倚赖外国的供给。

德国工业的最大部门当推金属工业，这一工业的制品占德国总输出的四分之一，所雇的劳动者达二百五十万。莱茵河鲁尔一带的金属工业家（蒂森，克鲁伯等）是德国政治的实际操纵者，希特勒即为他们的傀儡。化学工业也差不多有同样重大的意义，电机工业亦在英法之上。他如纺织、制纸、人造丝、酿造、甜菜糖等工业，亦很发达。

以生产的集中和技术的进步论，德国工业不让美国。蒂森的集团不特支配了德国的全体重工业，而且支配了海运业、航空业、化学业，同时也就是德国的金融大王。生产的合理化，劳动者的猛烈榨取，使德国的生产力为之激增；同时国内和国外市场的狭隘化，使德国工场的工作率极其低小。结果，一方面产生了庞大的失业军，社会革命的危机即在目前；他方面使德国独占资本主义不得不铤而走险，树立了法西斯的独裁，以遏止国内的工人运动和拼命向外扩张。

德国的农业在国民经济上的比重远不如工业，但农业仍有相当的重要（农业收入约占全体百分之二〇），与英伦有异。天然条件不如法国，土壤不大肥沃，但以大规模经营、并应用机械及化学肥料之故，生产力很高。农业生产物中，马铃薯和甜菜占世界第一位，大麦占第二位，小麦虽有培植，但生产不多，牲畜业中以养猪较为发达。至于工业用的重要农作物及热带产物，德国也像法国一样缺乏。

德国农业为集约的经营，且广泛地使用着雇佣劳动。土地的大部分集中于大地主（所谓“地主贵族”Junker）和富农之手（二十万的大地主和富农的经营，占全体经营数的百分之一四，而拥有的土地等于全体的百分之四七），农民大众的五分之三，每户仅有一公顷以下的土地。土地集中的情形，在东普鲁士，尤为明显。在世界恐慌期间，德国的农业恐慌，特别利害。

第三帝国的经济危机

自希特勒上台以后，德国的经济状况不特没有好转，反而陷于更深的危机之中。加特尔等独占组织增加了（由一九二五年至一九三四年，德国工业加特尔由一千五百增至二千一百），生产愈益集中了，国内物价也愈益高涨了（独占价格）。军需工业的生产大大增加，而日常消费的生产则急剧减缩。失业在数字上虽抹杀了大半，而实际上却不见减少。工人大众且因高度的劳动榨取、增税和物价高涨，而日益贫困化。大地主和富农因有高度的关税保护和廉价的农业雇佣劳动（劳动服役）而得到利益了，但小农却因饲料昂贵和农产品滞销而叫苦连天。在对外贸易上输出不特不见增加，且反日益萎缩，甚至自一九三四年起且由出超而转为入超。兹将国社党执政前后数年的贸易额列表如下：

第十六表 德国对外贸易额历年比较（单位：百万马克）

年份	输出	输入	出超（△入超）
1931	9,599	6,727	2,872
1932	5,729	4,667	1,072
1933	4,871	4,204	667
1934	4,167	4,451	△ 284

“第三帝国”的对外贸易既极度不振，它为独占组织垄断国内市场计，乃高唱自给自足的锁国经济，严格统制对外贸易，使输入不超过输出；但是外来的军需工业原料又不可缺，因之唯一办法只有极力缩减粮食的输入，所以，年来德国曾陷于严重的粮食恐慌中。其实“奥泰基”只是国内市场独占的饰言，事实上是办不到的。德国所需的食料中，谷物去自给尚远（依最高的估计尚缺百分之一三），饲料也患不足（依最高的估计尚欠百分之二一），脂肪，乳制品更其缺乏。至于工业原料中

金属矿物的不足，已如上述；纤维工业原料一向差不多全靠国外输入，人造的代用品（如煤炭液化油，人造棉等）既不经济，且须费很长的年月才能完全利用。所以第三帝国的孤立经济，实不可能。

德帝国主义的复活

自希特勒上台以后，德国帝国主义又再抬头：军备重整了，萨尔收回了，莱茵河武装也得到部分的恢复了。不过，其他战后所失的领土还没有收回，所以但泽和米美尔的夺回，便为德国目前首先努力的目标。同时，我们知道，国社党的（也就是蒂森的）德国的雄心还要使它的版图扩充至一切有德意志民族聚居的地方，而建立一个第三帝国。奥国的合并是这企图的第一步；东欧和波罗的海沿岸各国的吞并，乌克兰的夺取是它的第二步，而旧殖民地的恢复，新殖民地的要求也要同时进行。为达到这种目的，除有组织地动员欧洲各国的国社党外，还极力拉拢波兰，芬兰，与日本成立同盟，并进而谋与意大利携手，包括奥匈而欲成立新的集团。不过奥国问题为意德利益冲突之点，这个集团的持久性和团结性还是一个问题呢。

意大利的国民经济

战前意大利工业的发展尚比法国为落后，资本与资源的缺乏为其重要的原因。其煤的藏量不过一亿八千万吨，尚少于美国一年所产者；每年产额不过十万吨，等于英德一二日的产额，而且多为劣质的褐炭。煤油也同样的缺乏，所产仅能供给本国需要之百分之〇点三。小量而粗恶的铁矿，分散于南部及其他各地，也不足自给。较丰富的矿产，只有硫黄水银。以这样薄弱的资源，意大利工业化的行程遂大受障碍，因之资源的攫夺成为意帝国主义急切的志望。自大战以后，意大利的工业已显见发达，而且它转变为强大的帝国主义国家了。它的工业的跃进，一方面虽由于保护政策、劳动的高度榨取，但是水力的广泛利用，也是一个重要原因。发源于阿尔卑斯山的急流的河川，极富于水力。它已利用了这种水力资源的百分之六〇，以发动电力（动力之由水电供给者占百分之四〇)。电气化的结果，冶金化学工业也急速发达起来了。因备战之故，与军需有关的工业在近年尤其发展。不过，轻工业还占重要的地位，从事轻工业的劳动者占总数的一半，丝纺织业向为意大利工业中最发达的部门，棉业在战后有急剧的发展，新兴的人造丝业居欧洲第一位。随着工业的进展，意大利的独占组织便有高度的发达，法西斯政府本质上是在金融资本的掌中。

意大利位于温带和半热带，在气候上适宜于耕植，但以多山及沼泽之故，可耕之地不多。且意大利土地的大半握于地主和富农之手，地主常经过包佃之手将土地分租与农民，佃农须纳高额的地租。因为这种土地所有关系的缘故，农业的技术很低，收获率很小，而形成了过剩的农业人口，此种过剩的农业人口，每年大批地向外移殖。以农产物论，北部的蓝巴地亚平原种植小麦、玉蜀黍、稻、葡萄、甜菜等，南部和各岛屿产亚热带的果物，山岳地方则作粗放的牧畜。米产虽称欧洲第一，但小麦的生产额很低，不足国内的需要。近年来法西斯政府力求自给，输入略见减少。丝产占欧洲总数之百分之八〇，但其他纺织原料均须大宗输入。农产品的有市场价值者为果物，葡萄酒等。

随着工业的发达，意大利工业制品的输出亦日渐重要（一九二八年制成品占输出总额的百分之四五，半制品百分之二〇），同时，对国外市场的倚赖也一天天加深。世界经济恐慌的袭来，使它的输出减少了三倍（一九三四年）；除军需工业外，工业的生产锐减，农民因农产品价格暴落而生活更加恶化。失业之数也激增了。

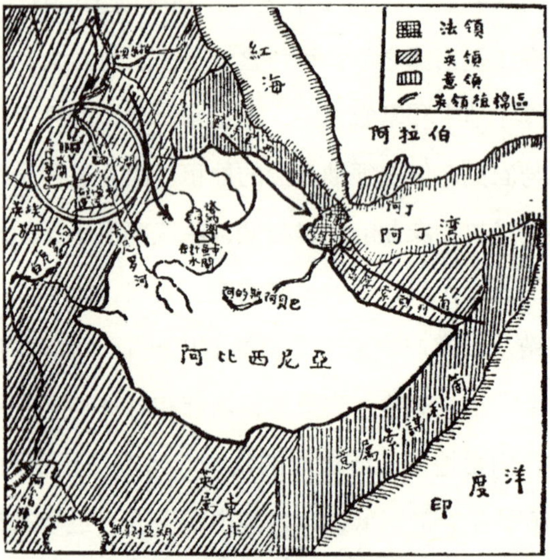

第六图　英法意与阿比西尼亚

意帝国主义的膨胀

由上所述，可知原料和贩卖市场的夺取为意帝国主义逼切的问题，而人口过剩不过是这种侵略的借口。现在法西斯政府便忠实地积极地替意大利的独占资本实现这个企图。意大利的殖民地——非洲的伊里特利亚，索谋里兰，里比亚，战后从土耳其取得的罗德群岛——在面积上虽亦倍于本国，但既没有密集的人口（仅二百余万），又缺乏天然的富源（输出品只有畜产果物等）。近年来它虽极力开发里比亚，棉花、咖啡、谷物的生产，已有多少希望，然仍无补于意大利资本主义的需要。反之，贴近它非洲属地的阿比西尼亚，面积一百一十万平方公里，人口千万，既饶有水力，宜于种棉和树胶，又富于金、铂、煤油、铁、铜、镍等矿产，故意大利帝国主义垂涎已久。但是英法在阿政治和经济上均占有相当的势力（参看第六图），日美亦欲插手其间，均无机可乘。这回莫索里尼利用英法的貌合神离，不顾英国的恐吓，终于把阿比西尼亚吞并，意帝国主义的大欲得偿了，世界再分割形势同时也加紧了。

除了阿比西尼亚外，近代意大利的对外侵略还有三个主要方向：（一）在地中海取得新的海岸；（二）占夺邻近亚得里亚海岸，进一步侵略巴尔干；（三）向北伸张到伯伦纳口。欧战的结果，奥国南提罗省已归意统治，第三种方向可说已达到，但这是意德龃龉的一个原因。在地中海东岸已占有罗得群岛，可以进窥小亚细亚南岸，可是它还欲借着意大利移民占多数的口实，还想攫夺北非法属的突尼斯和独占丹吉尔国际共管地，以掌握地中海的门户。至于第二种方向，在战后也得到部分的实现。优良的海港特里斯脱的获得，使奥国对意的经济倚赖加深，阜姆港以及逼近南斯拉夫的萨拉（Zara）和拉果斯太（Logosta）岛也归意国所有。为意南缓冲的阿尔巴尼亚已沦为意大利的附庸，南斯拉夫在亚得里亚海的地位更受威胁；意大利还企图取得南斯拉夫在亚得里亚海岸的达尔马提亚，占领希腊的哥尔福岛，以完成亚得里亚海的控制。总而言之，意大利雄据地中海的企图及它与中欧和巴尔干国家的关系，使法意间的对立无法缓和；非洲的侵略和地中海交通的控制又使英意的关系恶化。意大利感于势孤，取力谋联合奥匈德成立一政治集团。现在英法虽因阿比西尼亚的吞并已成事实，而撤消对意制裁，与意妥协，但是它们间的对立却不因此而稍有缓和。

习题

（1）德国的工业有甚么特征？

（2）德国为甚么盛倡自给自足的锁国经济？

（3“第三帝国”的对外扩张的企图与它的经济状况有何关系？

（4）战后意大利的工业怎样发达起来？

（5）意大利的过剩农业人口怎样形成？

（6）意大利与法国和英国的利害冲突之点何在？

第十二章　苏联

苏联的地理特征

现在要讲的一个集团是与上述的六个集团相异的：第一，它不是由帝国主义的发展的结果而构成的，而是在自然条件上和地理位置上一个十分统一的单位。第二，它有特殊的体制，在普罗独裁之下，而实施社会主义的计划经济。

苏联领土跨欧亚两洲，拥有全世界六分之一的土地，一亿六千八百万的人口，由十一个共和国，一百八十五个民族构成。它的地势为一大平原，只欧亚交界间和南部略有高山。虽有深广缓流而长的水道（全长十七万三千公里），但冰期很长，全领土又与大洋隔离，只靠内地海与之相通。故苏联的交通不得不靠铁路的系统。在铁道未发达以前，这种地理环境可防阻外敌的侵入，所以在革命时期也是由于交通的不便，而使帝国主义的干涉，无法深入。它虽纵跨寒温二带，但它领土的基本部分，则偏于北纬五十度与七十度之间，纯为大陆气候。属于欧洲的东南部雨雪较少，远东则湿度颇高，土壤大抵可分为两大类，东南为肥沃的黑土带，西北为非黑土带。

苏联的资源

苏联资源的丰富，不在美国之下，在某几点上且凌驾美国之上。以前因地质调查粗疏之故，关于它的资源估计过低；照新近的估计，殆无尽藏。以动力资源论，煤炭储量有八千八百零六万万六千三百万吨，占世界总量的百分之一五点三，次于美国和加拿大，以乌克兰的顿巴斯，西部西伯利亚的库资巴斯和东部西伯利亚的煤田为最大，且品质良好（一九三四年产额为九千三百万吨）。煤油藏量为四十六万万零六百万吨，占世界总藏量的百分之三四点四，超过美国，主要产地为北高加索和外高加索（巴库），一九三四年全国产额为二千五百万吨。水力资源也甲于世界，占世界总额的百分之三五点七，集中于西伯利亚、中部亚细亚和高加索的河流，以及欧俄的第尼普河，伏尔加河等。西伯利亚的大森林，使苏联木料出产差不多占世界第一位（约占总额百分之一七点五）。以金属资源论，铁的藏量约占世界十分之一，锰占世界的一半，铜、镍及贵金属（金和白金）亦不患缺乏。新近在乌拉尔各地发现的加里，足为化学工业的基础。以农业资源论，黑土带所产的谷，足以供给北部及工业区的需要而有余。土耳其斯坦的气候和土壤，特适宜于植棉，近年那里的棉田发展很快，使棉花已不靠外来的供给。苏联所最缺乏者为热带植物，就中最重要者为橡皮，苏联极力作移植的试验，目前已有相当的结果。由此看来，工业化所必须的资源，苏联大都不患缺乏，甚或有余，不特可以自成一个经济集团，而且具有一国建设社会主义的物质的基础。

人口与其分配

一九一三年帝俄的人口只有一万三千九百万人。战后因领土的丧失（芬兰、立陶宛等波罗的海小国及波兰脱离苏联而独立，比萨拉比亚为罗马尼亚所占），内战的猛烈，以及内乱饥荒和白党的出走，人口锐减，但近年来已有急激的增加，其速率甲于世界各国。这是由于大众生活改善，生殖率高而死亡率减低之故。但人口密度仍然很低，且地域上的分配亦不平均，居于欧洲部分者占四分之三以上，其中工业地方的人口密度每方公里在一百人以上。远东地方，地广人稀，每方公里不过一人。随着工业化的进展，有计划的移民，在国家援助之下，已在进行中，以谋人口的较平均的分布。其次，都市人口的总数，在一九三一年已达三千三百余万，占总数百分之二〇点七。最值得注意者，就是人口的阶级构成的变化。据一九三四年的统计，劳动者、机关雇员、技师、技术员及其他工资劳动者占全人口的百分之二八点一，集体农场成员及合作社员占百分之四五点九，军人、教师及恩给年金领受者占百分之三点四，这三部类合计起来即占全人口的百分之七七点四，其余的百分之二二点六，大部分为自营农民及不参加合作社的手工业者和商人。富农分子只占百分之〇点一。这可见苏联虽仍以农业人口占多数，但人口的大半已直接参加社会主义的建设，榨取的阶级几已不存在。故苏联新近有改正宪法之举，使工人和农人均有平等的选举权，成为一个无阶级和民族差别的最民主的国家。

社会主义工业的建设

电气化为社会主义建设的技术的基础，苏联政府为利用大量的廉价的水力和其他的动力资源，曾依照经济地理的情形，计划建筑数十处的大发电厂。第一次的五年计划已完全实现，第尼普河大发电所的完成，尤震动了世界。借着这个水力发电所，不特形成了电气冶金工业、有色冶金工业和化学工业的结合企业，而且周围的农业也电气化了。第二次五年计划更欲使苏联进为水力电力利用最发达的国家。一九三四年的电力生产已达二百亿基罗瓦特。

重工业的发展为轻工业的发达、交通的建设和农业的机械化以及加强国防的前提，故第一次五年计划对它特加注意。以冶金业论，十年间，钢和铁的生产已有十倍的进展，最近铣铁的生产占欧洲第一位，世界第二位。机械制造业也以异常的速率进展，现已超过英法；农业机械的制造，且有凌驾美国的趋势。化学工业也有相当的进步；人造原料、肥料和国防上所需的化学制品，都特加注重。在第一次五年计划中，轻工业和食料品工业的发展虽逊于重工业，但发达也颇迅速，但第二次五年计划将有二三倍的发展。苏联的工业化有以下几个特点：（一）在工业的生产中，社会主义的成分已占绝对支配的地位。（二）因计划经济、劳动者自动的增产运动（斯泰哈诺夫运动）和电气化，技术的进步一日千里。（三）工业中心已不像帝俄时那样集中二三地点，而是按着各民族地方经济的情形和自然条件，散布于全国，作成许多新的工业中心，且有渐向东方移动之势（如乌拉尔库斯聂兹克为冶金工业和化学工业的中心地，东部西伯利亚的急速工业化）。

社会主义农业的建设

苏联为世界最大的农业国家，它的社会主义的农业已以空前的速率发展着。革命后分得小土地的二千余万的落后农户，今已大多数在最进步的技术基础之上变为集体的经营。最近苏联农业的社会化者已占百分之八〇以上，机器犁的使用增至约三十万架，割打两用机也达五万架（美国也不过六万一千架）。不特生产力增加，而且耕地也力图扩张。最可注意者，就是苏联当局基于地理的经济条件的考虑，而力谋农业生产的最适当的配置，与各地方专门化的实施。按照着这种计划，谷物的播种面积，向东方移动；棉花、茶、甜菜等工业用农作物移植于南部。苎麻、橡皮等新的工艺作物亦极力培植。此外牧畜和林业也以高度的速率发展着。

社会主义交通的建设

帝俄时代的交通网极为稀疏，且只为外国资本、地主、商人及富农的利益而办的，在革命后更破坏不堪。苏联既地大物博，只有交通便利之后，天然的资源才能尽量开发，工业建设才有可能。怎样把北部和南部的粮食输于全国，怎样把北方的木材，顿巴斯和西伯利亚的煤铁，乌拉尔的矿产，土耳其斯坦的棉花运到工业的中心，怎样把高加索的煤油输于国外，这完全是交通，特别是铁道建设的问题。其次，为了防御帝国主义的侵入，也不得不发展国内的交通网。在第一次五年计划开始之初，苏联的铁路已恢复原状，到现在已增筑二千余公里，但仍不足以供经济建设和国防的目的，预定到一九三七年要完成十一万六千公里的铁道网。已完成或在建筑中的新路线，主要在联络落后区域与经济文化中心。最可注意者有以下诸线：（一）土耳其斯坦——西伯利亚线，联络西伯利亚南部和苏联的棉花中心产地，使前者的谷物可以迅速地输入后者，和使后者的棉产可以完全发达起来，该线已于一九三〇年完成；（二）贝加尔湖——黑龙江线，即与东部西伯利亚铁路并行之线，已将完成，在远东国防上，有很大的作用；（三）上乌金斯克——库伦线；（四）巴拉丁斯基——乌苏雅里台线，以上两线均侧重于远东国防方面；（五）西乌拉尔线，由白尔摩经乌发到鄂伦堡，联络乌拉尔农业及工业区，使乌拉尔的丰富的物产可以转运到伏尔加河流域和中亚细亚；（六）马格尼多哥尔斯基——库斯聂兹克线，使前者的铁产和后者的煤产结合起来；（七）联络中央工业区与伯绍拉森林区的路线；（八）沙拉多夫至密尔洛窝线，联络南乌拉尔与伏尔加流域及亚速夫海岸，对于谷类输出有重大的意义；（九）黑海线，缩短高加索共和国与工业中心联络的路程。苏联的铁道建设，不特注意到路线的延长，而且侧重能力高的机关车和载运能力多的货车的采用，电化的发展，及其他的新的技术。在铁道的利用（载运量）上，它已凌驾德法，逼近美国了。

其次，宏大的公路网的建筑亦在进行中。汽车的生产与年俱增（一九三一年五万七千辆）。水道改良的计划也很伟大。最可注意者有两点：一为在第尼普河的石滩间建筑水闸，使该河的上下流得以通航无阻。它的完成使白俄罗斯及乌克兰得有便利的水道，波罗的海有与黑海相通的可能。一为联络伏尔加河与顿河的运河的开凿，这计划已在实施中，其目的一方面在使流入内海的伏尔加大河可与黑海相通，他方面在使农产丰富的伏尔加与工业中心的顿巴斯间有廉价而敏捷的运输道路。苏联的对外贸易大部分是靠海上输送，但是它的商船数目却不很多，须使用外国的船航，为苏联交通上的一大弱点。北冰洋交通的开拓为苏联最可惊人的尝试，它的成功不特在科学上有重大的贡献，而且在国防上也有莫大的意义。苏联地域广漠，故航空发展亦甚重要。自一九二三年起，始有自办的民用航空，至一九三二年在路线长度上已能追及资本主义世界。北到北冰洋，南至高加索，西到列宁格勒，东至帕米尔和西伯利亚，都为定期航空网所联络。国际线则可与德国，土耳其，波斯，阿富汗等国相通。

对外贸易

在革命以前，帝俄本为西欧资本主义国家的广大贩卖市场，而后者对于俄国的农产品的倚赖亦极深刻。现在苏联因经济建设发展之故，与资本主义世界恢复贸易关系已有多年，但它不是像资本主义国家那样必然地要谋国外贸易的膨胀，而是量输入以为输出，故苏联的工业和农业生产在近年虽已占世界第二位，但外国贸易却只占第十五位（一九三三年），不及帝俄时代的三分之一（一九一三年帝俄的对外贸易额在世界全体中占百分之三点九，一九三四年苏联只占百分之一点五）。这两年因为国内工业化的进展，输入可以削减，总贸易额更见减少。在苏联输出品中有世界重要性者为煤油、锰、毛皮及其制品、木材、棉布、裸麦、小麦、亚麻、牛油等。近年工业品的成分已渐见增加，而谷类的输出比战前大减。输入项中以电气机械（一九三二年占世界总输入的百分之五三）、机械器具（占世界总输入的三分一）、铝、镍、橡皮为大宗，这是与苏联经济建设的需要相应的。自一九三三年以后，苏联的技术独立性增大，机械与金属的输入减少，且反有若干的输出。在贸易上与苏联关系密切的国家为波斯、土耳其、德国、波兰、英国及波罗的海诸国。

对外关系

由上所述，资本主义世界的经济和社会主义世界的经济的相异，已昭然若揭。一个是满布着矛盾，陷于空前的经济恐慌之中；一个却有计划地从事社会主义的建设，生产力一日千里。这两个世界是对立着，但是它们之间却不得不发生关系。苏联与资本主义国家的关系可以分做三个时期：第一个时期由革命爆发起至一九二〇年内战告终止，为列强实行封锁苏联发动武装干涉的时期；第二个时期由一九二〇年起至一九三四年，为苏联陆续与资本主义国家恢复经常关系的时期；第三个时期由一九三四年苏联加入国际联盟起到现在，为苏联努力国际和平的时期。这种努力的结果，除了与近邻土耳其、波斯及波罗的海国家已订有互不侵犯条约之外，从前反苏最力的法国亦已与苏联订立了互助条约，捷克以及因比萨拉比亚问题而仇视苏联的罗马尼亚也有同样的举动。不过，国社党的登台，使德国进攻苏联的所谓“东向”政策，日趋积极。自“九·一八”事变以后，日本反苏的阴谋也日益尖锐。除了堪察加的渔业、北库页的煤油与森林、满洲的铁道等，为日苏争执的症结所在外，日本对外蒙和西伯利亚均有领土的野心，故中东路出让以后，蒙伪边境苏伪边境间还时发生冲突。所以，现在苏联的对外政策一方面是积极谋世界的和平，他方面是努力充实国防，以备万一。

习题

（1）从经济地理的观点看来，苏联一国建设社会主义的可能性怎样？

（2）苏联的工业建设与经济地理的原则有甚么关系？

（3）苏联的社会主义的农业建设的成绩怎样？

（4）苏联的对外贸易有甚么特征？苏联最近的对外关系怎样？

三联经典文库第二辑简目

《游击战教程》　明凡 / 著

《游击战术纲要》　陶剑青 / 编著

《汪精卫卖国的理论与实践》　钱俊瑞 / 著

《抗战以来》　韬奋 / 著

《陕行纪实》　楚云 / 著

《随军散记》　沙汀 / 著

《被日寇囚系半载记》　王研石 / 著

《倭营历险记》　房沧浪 / 著

《活跃的新西北》　田影 / 编著

《保卫华北的游击战》　刘清扬　陈北鸥等 / 著

《徐州突围》　《徐州突围》编委会 / 编

《沦亡的平津》　长江　小方等 / 著

《淞沪火线上》　胡兰畦等 / 著

《瞻回东战场》　长江　罗平 / 著

《东线的撤退》　胡兰畦等 / 著

《抗战中的西北》　徐盈 / 著

《鲁闽风云》　徐盈等 / 著

《西线生活》　西北战地服务团集体创作

《中国解放区见闻》　［美］福尔曼著 / 朱进译

《全面抗战论》　潘汉年 / 著

《日本的间谍》　范士白自述 / 尊闻译

《日本大陆政策的真面目》　国难资料编辑社 / 编

《民众动员论》　李公朴 / 著

《中国外交史》　钱亦石 / 编著

《太平洋军事地理》　蒋震华 / 著

《世界经济地理讲话》　思慕 / 著

《列强军力论》　［德］马克斯·威纳尔著 / 宾符　仲持　梅益等译

《近代国际关系史》　张铁生 / 著

《太平洋现势手册》　沈志远　石啸冲 / 编著

《近代世界政治史》　钱亦石 / 著

《从战争到和平——一九四五年的世界政治》　乔木 / 著

《战后日本问题》　思慕 / 著

《最近一年间的国际动态（1946.7–1947.6）》　《东北日报》社 / 编

《论政党》　翟放 / 著

《法与宪法》　韩幽桐 / 编著

《中华民国宪法刍议》　罗家衡 / 著

《民主·宪法·人权——作之民》　费孝通 / 著

《宪法论初步》　潘念之 / 著

《对反民主的抗争》　韬奋 / 著

《农村改进的理论与实际》　江恒源 / 著

《上海产业与上海职工》（上下）　　朱邦兴　胡林阁　徐声 / 合编

《陶行知教育论文选辑》　　陶行知著 / 方与严编

《中国通货膨胀论》　　杨培新 / 著

《中国及其未完成的革命》　　H·普拉特著 / 蒋天佐译

《中国的建设问题与人的训练》　　卢作孚 / 著

《论中国特殊性及其他》　　艾思奇 / 著

《中国经济问题讲话》　　钱俊瑞　徐雪寒　王渔邨　姜君辰　骆耕漠 / 合著

《中国经济的道路》　　许涤新 / 著

《中国财政之病态及其批判》　　孙怀仁 / 著

《官僚资本论》　　许涤新 / 著

《五四运动之史的评价》　　陈端志 / 著

《中国通史简编》（上下）　　中国历史研究会　范文澜 / 主编

《论文学的工农兵方向——读〈在延安文艺座谈会上的讲话〉》　雪苇 / 著

《中国近代史（上编　第一分册）》　　武波 / 编著

《文学百题》　　傅东华 / 编

《中国史学之进化》　　周谷城 / 著

《论民族形式问题》　　胡风 / 著

《论批评》　　荃麟等 / 著

《中国史纲》（第一卷上下、第二卷上下）　　翦伯赞 / 著

《近代中国思想学说史》（1–4）　　侯外庐 / 著

《中国政治思想史》（上下）　　吕振羽 / 著

《中国哲学史纲要》　　向林冰 / 著

《中国政治史讲话》　　钱亦石 / 著

《中国社会经济史纲》　　王渔邨 / 著

《新财政学大纲》　　千家驹 / 著

《太平天国革命运动论文集——金田起义百周年纪念》

华北大学历史研究室 / 编

《理性与自由——文化思想批评论文集》　　胡绳 / 著

《战斗者的诗人》　　黄药眠 / 著

《国语文法》　　曹朴 / 著

《教育哲学》　　张栗原 / 著

《妇女问题讲话》　　杜君慧 / 著

《婚姻 · 子女 · 继承》　　沙千里 / 著

《性教育新论》　　布士克　雅各生合著 / 董秋斯译

《狱中杂感》　　杜重远 / 著

《七人之狱》　　沙千里 / 著

《爱迪生传》　　伍况甫 / 译

《歌德自传》（上下）　　歌德著 / 思慕译

《尼赫鲁自传》　　［印度］尼赫鲁著 / 毕来译

《列宁传》　　［苏］凯尔任采夫著 / 企程　朔望译

《罗斯福总统传》　　C. Mackenzie 著 / 张尚之译

《托尔斯泰传》（1–3）　　［英］阿尔麦 · 莫德著 / 徐迟译

《革命文豪高尔基》　［美］亚历山大·康恩著／韬奋编译

《鲁迅纪念特辑》　新中国文艺社／编

《回忆鲁迅先生》　萧红／著

《人民文豪鲁迅》　平心／著

《亡友鲁迅印象记》　许寿裳／著

《鲁迅思想研究》　何干之／著

《鲁迅研究》　夏征农／编

《过来的时代：鲁迅论及其他》　雪峰／著

《电影戏剧表演术》　洪深／著

《日常心理漫谈》　［美］约瑟夫·查斯特罗著／曾宝施译

《心理常识漫话》　朱智贤　杨云美／著

《读书的方法与经验》　王任叔／著

《美国黑人生活纪实》　［美］加德维尔　斯坦倍克著／董秋斯译

《初访美国》　费孝通／著

《事业与成功》　［美］马尔腾著／汪原放译

《萍踪寄语（初集）》　韬奋／著

《一生的幸福前途——〈生活周刊〉信箱选集》　生活书店／编选

《深刻的印象》　生活周刊社／编

《海外的感受》　生活书店编译所／编

ISBN 978-7-108-04651-2

9 787108 046512 >

定价：22.00元